アレンジもできる レザークラフト
24 SIMPLE PATTERNS FOR LEATHERCRAFT
型紙集24

ナチュラルな革小物を自由気ままに

本書には、24種類もの革小物の型紙と作り方の手順を掲載しています。どれも年齢や性別を問わず誰でも使えるような、スタンダードでナチュラルなデザインを心がけています。また、手作りならではの風合いを活かしながら、様々なアイテムに応用が利く定番のテクニックや構造を満遍なく盛り込みました。そのまま作っても、サイズや形をアレンジしても、まったく新しいオリジナル作品のアイデアとして使っても結構です。気の向くままに、お好みの革小物を作り上げてください。

Contents

はじめに p.2
この本の使い方 p.6

作り方と型紙 p.7

ひとつは持ちたいベーシック小物

- パスケース p.10
- ブックカバー p.14
- トレー p.18
- キーホルダー p.22
- シンプルキーケース p.26
- ベーシックキーケース p.30
- ベル型キーケース p.36

バリエーション豊かな収納アイテム

- 外縫いコインケース p.42
- 内縫いコインケース p.48
- 箱型コインケース p.52
- L字ファスナーコインケース p.56
- 書類ケース p.64

いろいろなマチの革小物

- ササマチカードケース p.72
- トコマチカードケース p.78
- 横マチペンケース p.84
- 捨てマチペンケース p.90
- 通しマチポーチ p.100
- 分割通しマチポーチ p.110

革好きのためのおでかけアイテム

- ドッグカラー p.122
- リード p.126
- カメラケース p.130
- ネックストラップ p.134
- パスポートケース p.140
- ツールバッグ p.146

付 録 p.151

- 型紙の使い方 p.152
- おすすめ革 p.154
- 金具図鑑 p.156
- 道具図鑑 p.162
- 監修企業紹介 SEIWA p.172
- おすすめ書籍 p.174

この本の使い方

　この本は、完成品サンプルと型紙をメインに組み立て方の概要を解説し、難しいところだけを抜粋して写真解説しています。重複部分や基礎部分をある程度省く代わりに、なるべく多くのベーシックな革小物のパターンを収録しました。

　使用している革は、すべて巻末の「おすすめ革」に掲載してありますが、一部の革小物では革選びのポイントも解説していますので、参考にしてください。金具などの革以外の材料についても、巻末でまとめています。色違いやサイズ違いは、ここで探せるでしょう。

　使用する工具は、すべて手縫いのレザークラフトに使われるスタンダードなものです。登場した工具は、簡単な使い方解説とともに巻末にまとめてあるので、そちらでチェックしてください。

　本書に掲載している型紙をアレンジしたり、構造やアイデアをオリジナル作品へ活用できるよう、様々なポイントを解説しています。複雑でアレンジが難しいアイテムもありますが、構造をよく理解し、どこの寸法をどう変えれば良いか、どの部分なら変えても問題ないかということを念頭に置きながら、ぜひアレンジにチャレンジしてみてください。

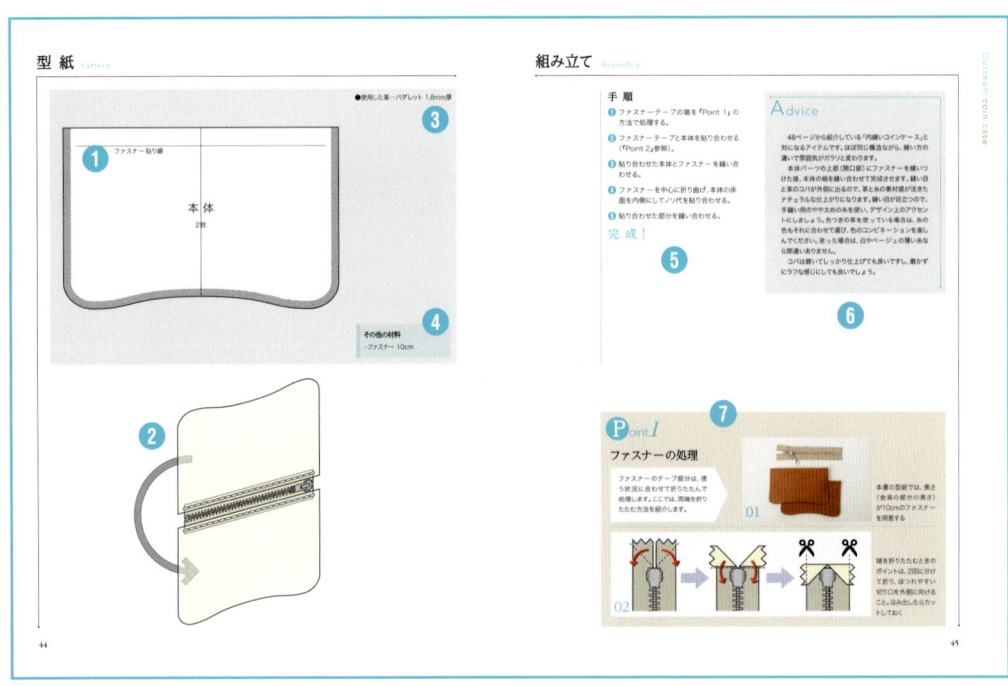

1. 型紙
2. 組み立てのイメージイラスト
3. 使用した革の種類や厚み
4. 革以外に使用した材料リスト
5. 完成までの組み立て手順
6. 材料選び、製作のコツ、アレンジのアイデアなどに関するアドバイス
7. 組み立て手順の中から難しいポイントを抜き出し、写真やイラストで詳しく解説しているカコミ

作り方と型紙

型紙とともに材料から完成までの大きな流れ、製作時のポイント、アレンジアイデアや注意点を解説します。また、なるべく革小物を使っているときのイメージが湧くよう、たくさんの写真を添えました。カタログでも見るように、気軽に選んでください。

- パスケース ……… P.10
- ブックカバー ……… P.14
- トレー ……… P.18
- キーホルダー ……… P.22
- シンプルキーケース ……… P.26
- ベーシックキーケース ……… P.30
- ベル型キーケース ……… P.36

ひとつは持ちたい
ベーシック小物

人気のある定番の革小物を集めました。
作りもシンプルなものばかりなので、
初心者の肩慣らしにもよし、
アレンジのベースとして使ってもよしです。
特にキーケースに関しては、
3つのバリエーションを揃えています。
お好きなものを選んでください。

Pass case
パスケース

本体と両面のポケットを合わせ、
計3ヵ所の収納を備えたパスケース。
カードを押し出すためのスリットを設けた
定番のスタイルで作ります。
初心者でも簡単。アレンジも簡単。
気軽に楽しめます。

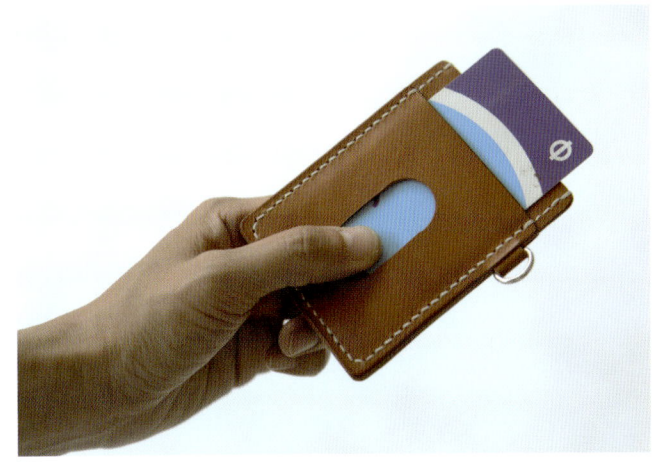

裏側はスリットの形を変えた別のバリエーション。スリットはなくしても、別の形でもOK。好みのスタイルにアレンジして作れば、愛着も一層湧くはず

型 紙 Pattern

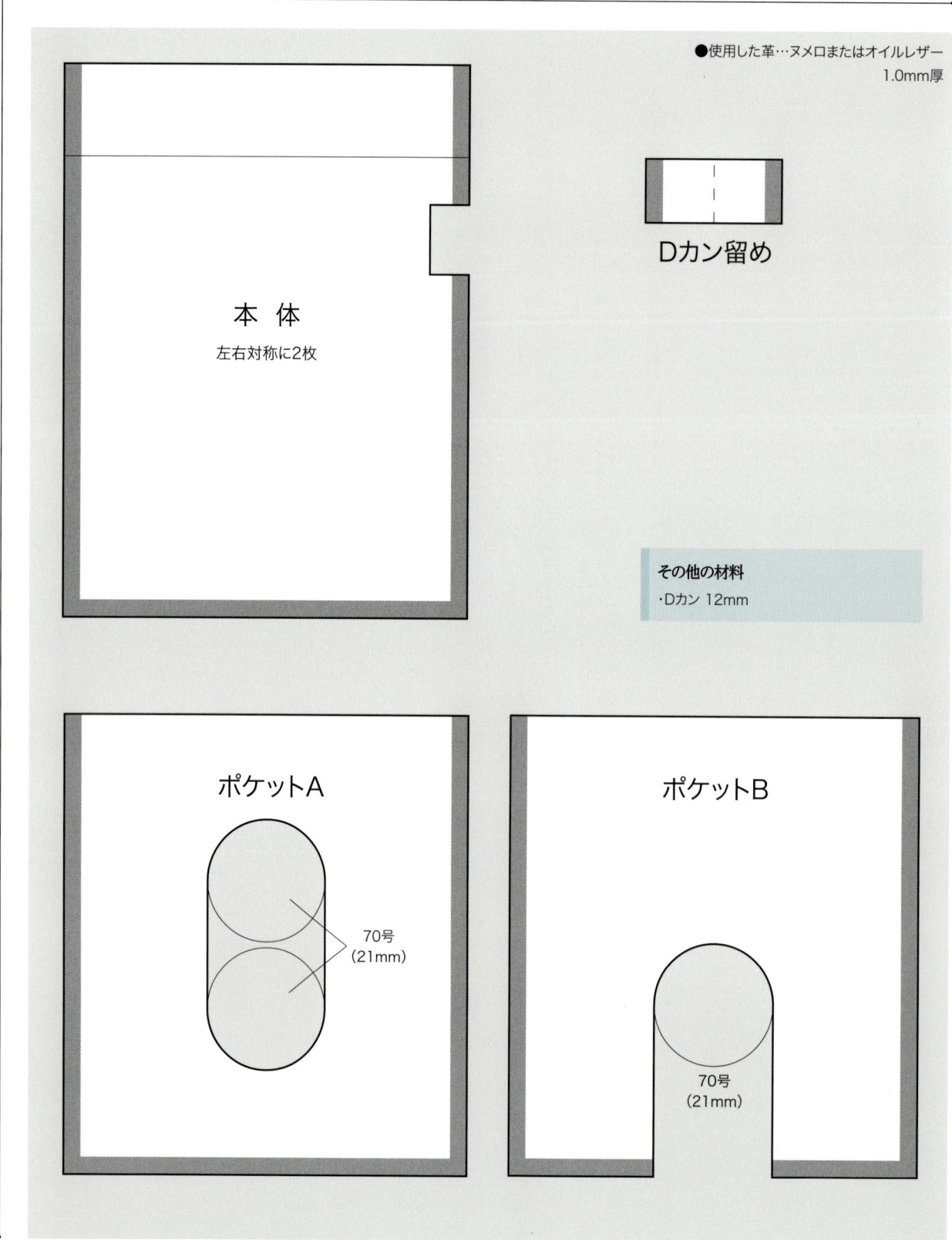

組み立て Assembly

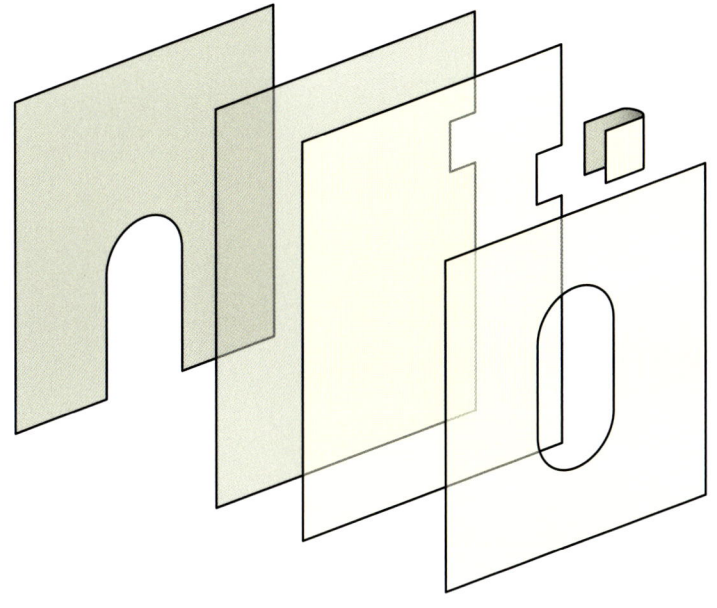

手 順

① Dカン留めにDカンを通してループ状にし、端から5mm程度を貼り合わせる。

② 2枚の本体をノリ代で貼り合わせる。

③ 片側にポケットAを貼りつける。

④ Dカン留めを本体のスリットに差し込み、貼りつける。

⑤ 残る面にポケットBを貼りつける。

⑥ コの字に縫い合わせる。

完 成！

Advice

　1mm厚のタンニンなめし革を使っていますが、シンプルなだけに使える革の幅が広いことが特徴です。柔らかいクロムなめし革などを使っても、収納したカード自体が芯となり、形が維持されます。ただし、作りやすさなどを考え、ある程度は張りがある革の方がおすすめです。

　構造は非常に単純です。上のイラストを参考に、組み立ててください。注意点は、Dカン留めの端が本体の切り込みの部分に収まった状態になること。これは全体の厚みを均等に揃えるためです（切り込みがないと、Dカン留めの部分だけが盛り上がり、全体が歪んでしまいます）。

Book cover
ブックカバー

文庫本サイズのブックカバーです。
留めひもとボタンをつけたので、
カバンの中でバラバラになりません。
本体をシンプルに仕上げる分、
ひもにはビーズをつけてアクセントにしました。
お好みでアレンジしてみてください。

ボタンはカシメで固定するタイプ。ひもは、しなやかで質感の良いディアレース(鹿ひも)がおすすめ

型 紙 Pattern

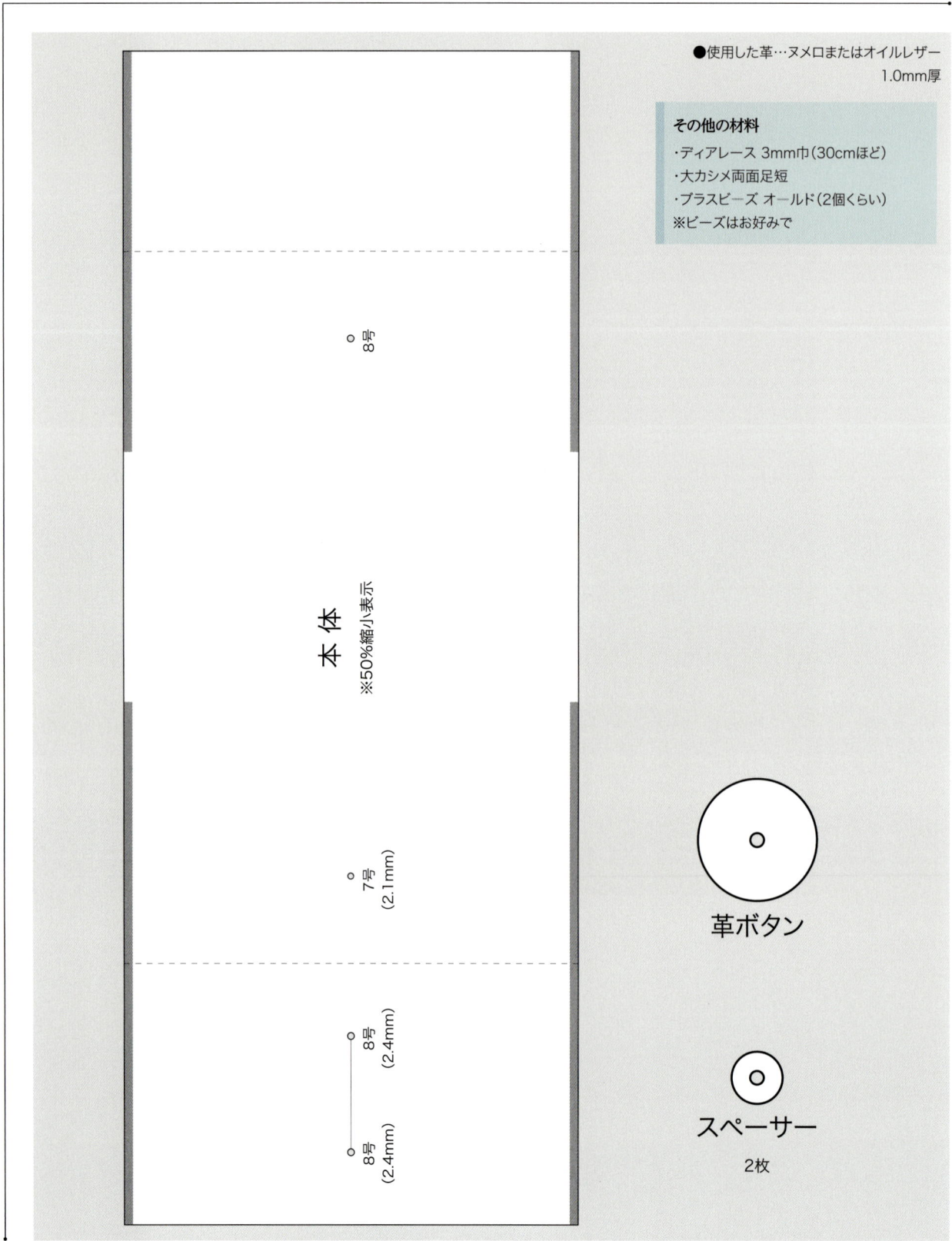

●使用した革…ヌメロまたはオイルレザー
1.0mm厚

その他の材料
・ディアレース 3mm巾（30cmほど）
・大カシメ両面足短
・ブラスビーズ オールド（2個くらい）
※ビーズはお好みで

組み立て Assembly

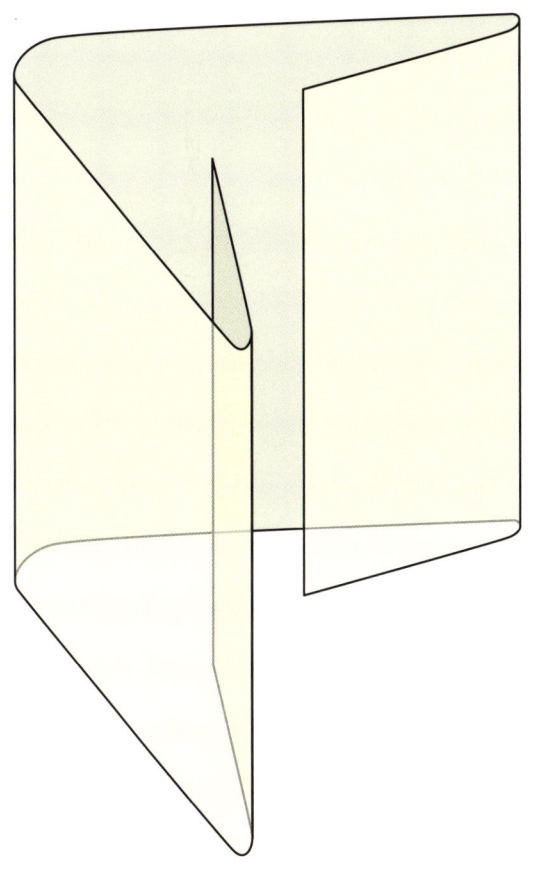

手 順

① 粗裁ちした2枚の革を貼り合わせたものから、革ボタンを切り出す。70号(21mm)のハトメ抜きで抜いた円の中心に8号(2.4mm)の穴をあける。

② スペーサーを2枚切り出す。30号(9mm)のハトメ抜きで抜いた円の中心に8号(2.4mm)の穴をあける。

Check! 革ボタンとスペーサーは、ハトメ抜きを使えばきれいな円にできるが、手で裁断してもOK。

③ 本体に型紙に記載されている通りの穴と切り込みを入れる。

④ 本体にディアレースを通し、床面側で結び目を作って留める。レースの先端にはビーズを通し、結び目を作って留める。

⑤ もう一方の穴に、床面からカシメの足を通し、ギン面から2枚のスペーサー、革ボタン、カシメのアタマを差し込み固定する(Point参照)。

⑥ 本体を折り線で床面側に折り返し、ノリ代を貼って縫い合わせる。

完 成！

Advice

あらかじめ留めひもと革ボタンを取りつけておき、型紙の折り線部分を折り、ノリ代を貼り合わせて縫えば完成です。片側にあるスリットは、栞などのホルダーとしてお使いください。留めひもと革ボタンはつけなくてもブックカバーとして使うことができるので、シンプルが好みの方はつけずに作っても良いでしょう。また、フラップとホック留めなどの、しっかりとした作りにアレンジすることもできます。

革は薄手の1mm厚を使っています。クロムなめしや鹿革などの柔らかい革で作っても、また違った感触になって面白いでしょう。ただしその際は、留めひもが穴から外れてしまわないよう、縫いつけるなどの工夫をしてください。

Point 1

ボタンの取り付け

ひもを巻きつける隙間をあけるため、革ボタンの下には厚み2mm(1mmの革を2枚)ほどのスペーサーを挟みます。

革ボタンと2枚のスペーサーを写真のように重ね、まとめてカシメで固定する

Tray
トレー

ちょっとした小物の整理に便利なトレーです。
簡単な作りですが、お気に入りの革を使えば、
日常にアクセントを加える素敵なアイテムが完成します。
底の部分には補強とデコレーションを兼ねた革をつけ、
四角にはバネホックをつけて仕上げます。
プレゼントにもおすすめです。

四角のホックを外せば平たくなるので、持ち運びにも便利。角は縫いつけて組み立ててもOK

型紙 Pattern

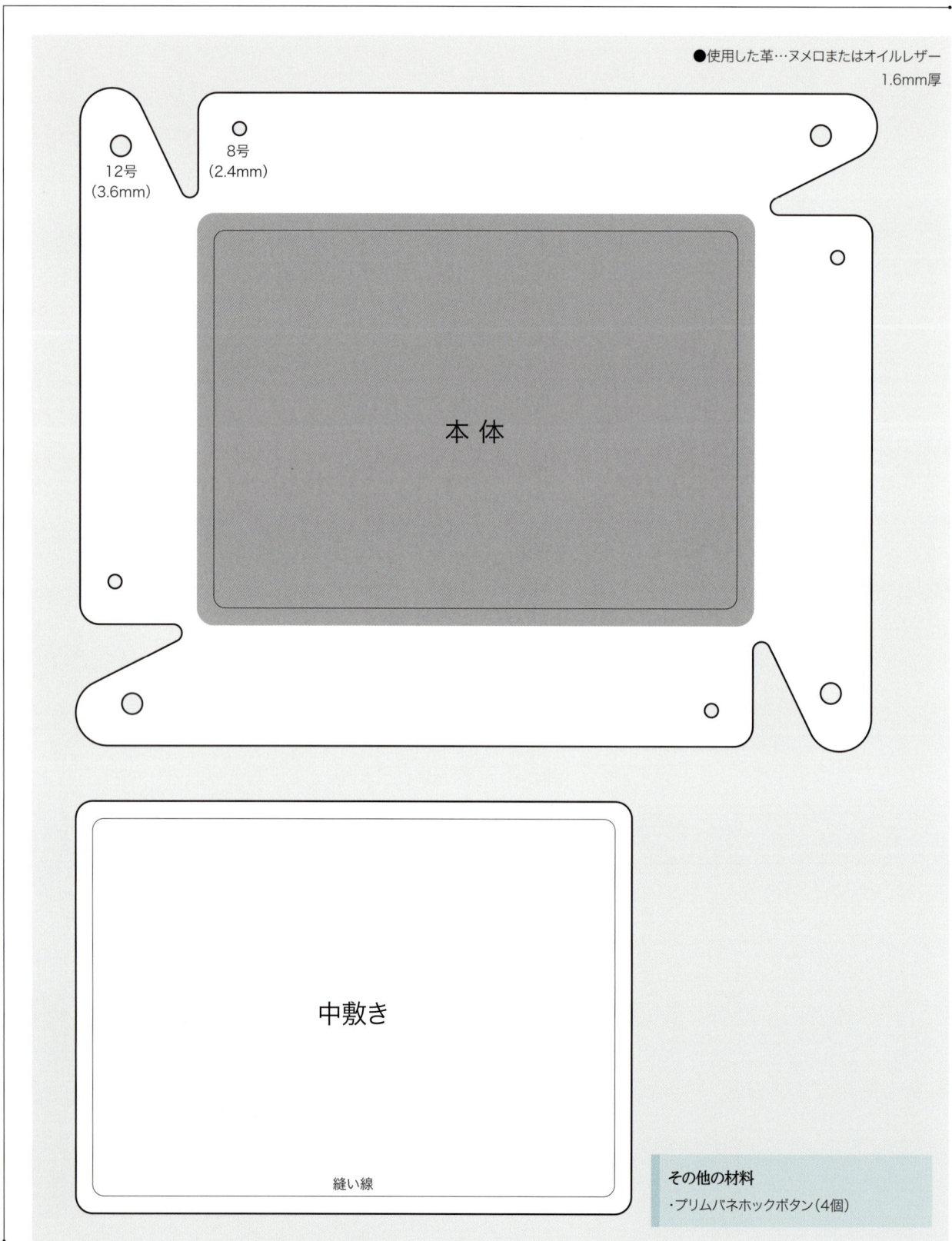

組み立て Assembly

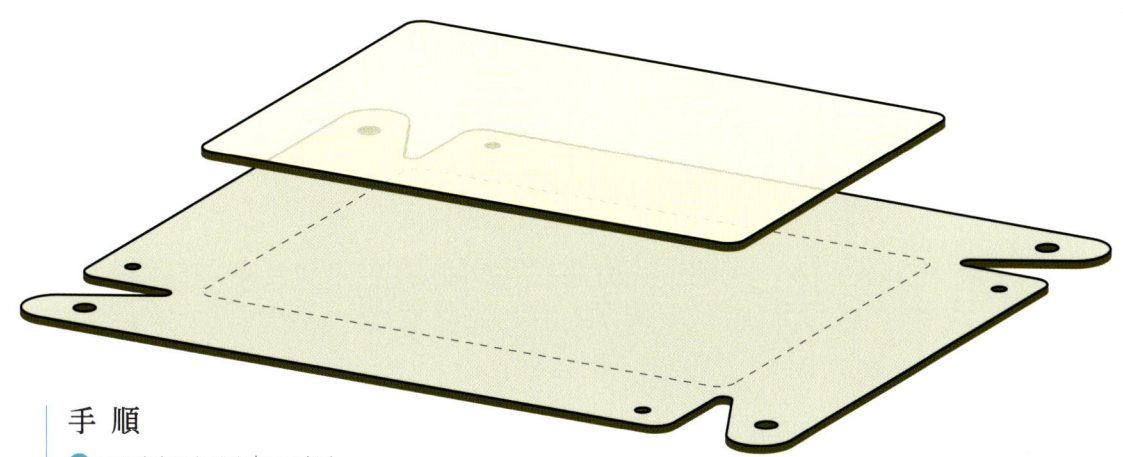

手 順

① コバをあらかじめ磨いておく。

② 本体のノリ代のギン面を荒らし、接着に備える。

③ 型紙の線に合わせ、本体に中敷きを縫いつける。

④ 革本体の穴に、バネホックボタンを取りつける。

完 成 !

Advice

本体と底からなる、非常にシンプルな構造です。慣れれば簡単に完成させることができるので、いろいろな革を使って作ってみてください。柔らかすぎるとヘタってしまうので、ある程度張りのある革を使いましょう。

　左ページの型紙を拡大コピーすれば、大きさのアレンジも簡単にできます。その際は、大きさに合わせて、バランスの良いサイズのバネホックに変えると良いでしょう（穴のサイズもホックに合わせて変えてください）。また、大きくするほど、張りがある丈夫な革を使うようにしないと、頼りない仕上がりになってしまいます。全体のバランスを見て、程よい質感に仕上げるようにすれば、素敵な作品が作れるはずです。

Key holder
キーホルダー

日常的に身につけるアイテムは、
シンプルに仕上げて素材にこだわるのがおすすめ。
真鍮製のシャックルという金具が味わいを出し、
レトロな雰囲気に仕立てるキーホルダーです。
革と真鍮が、時間が経つほどに深みを増し、
変化を楽しむことができます。

組み立てはカシメひとつなので、初心者でも簡単に作れる。金具や革を変えれば雰囲気もガラリと変わるので、いろいろな組み合わせを楽しむことができる

型 紙 Pattern

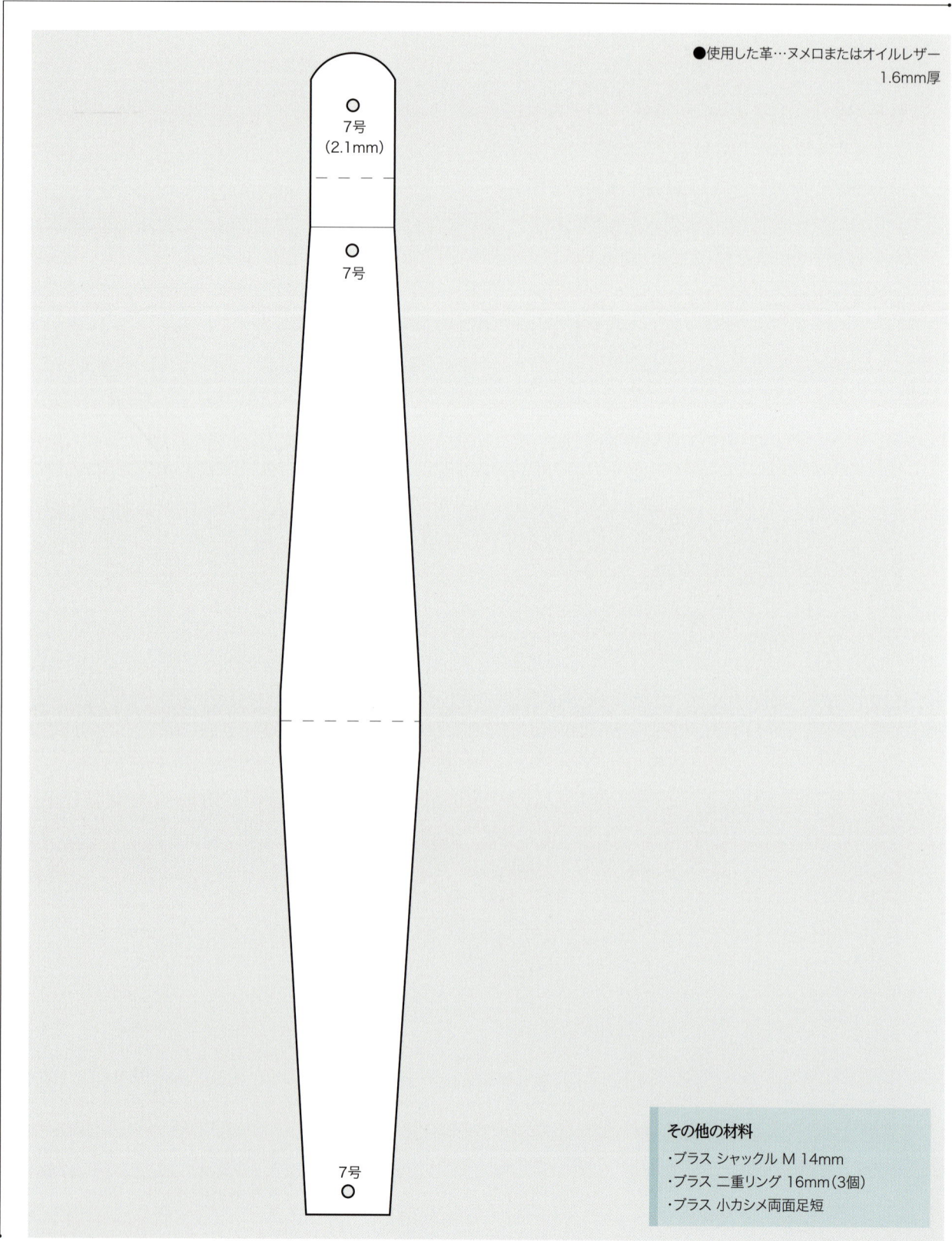

組み立て Assembly

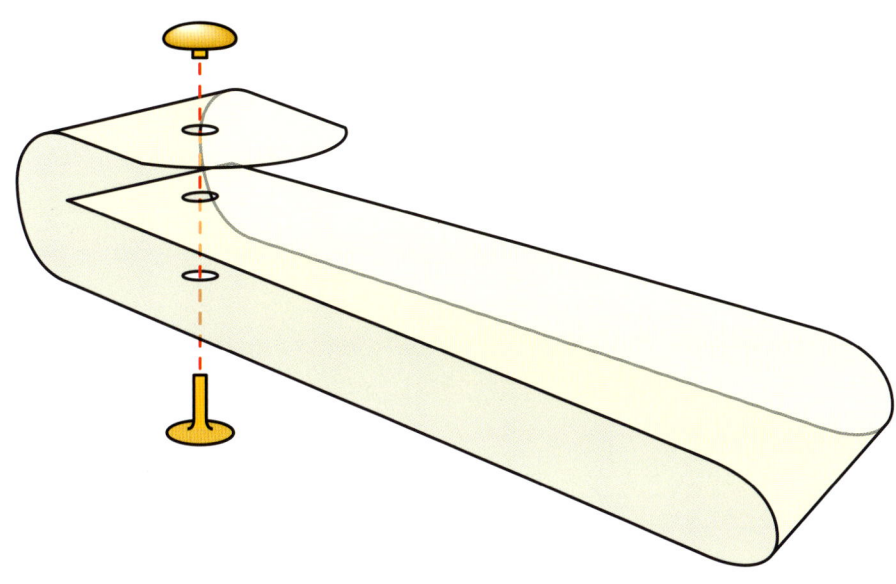

手順

① コバを磨く。

② 型紙の破線に沿って折りたたみ、穴を重ねてカシメで固定する。

③ 二重リングを通したシャックルを、付属のネジパーツで取りつける。

完成！

> ### Advice
>
> 　シャックル金具の軸の太さに合わせて設計されているので、カシメで穴部分を固定し、後からシャックルを通せば完成です。もう少しシンプルな方が良ければ、先端部分の幅に合わせた15mmのDカンなどを使っても良いでしょう。その場合は、カシメを固定する前に革に通してください。
>
> 　革は、少し存在感のある1.8mm厚を使います。真鍮と革の素材感を楽しむために、タンニン革を使うのがおすすめです。薄手や柔らかめの革で作ると、鍵をつけたときに重さでヘタってしまうので使いづらくなるかもしれません。その場合は、2枚を貼り合わせるなどして、張りを調節すると良いでしょう。

Simple key case
シンプル キーケース

ワンピース構造の、いちばんシンプルなタイプ。
丸みを帯びたデザインにして、
ナチュラルな雰囲気に仕上げました。
カーブの部分を直線にすれば、
やや男性的な印象になるでしょう。
縫う箇所がないので、組み立ても簡単です。

閉じたときにも、フラップ部分の丸みがナチュラルな雰囲気を出すデザイン。形の自由度は高いので、微妙なニュアンスを表現してみるのも面白い

27

型紙 Pattern

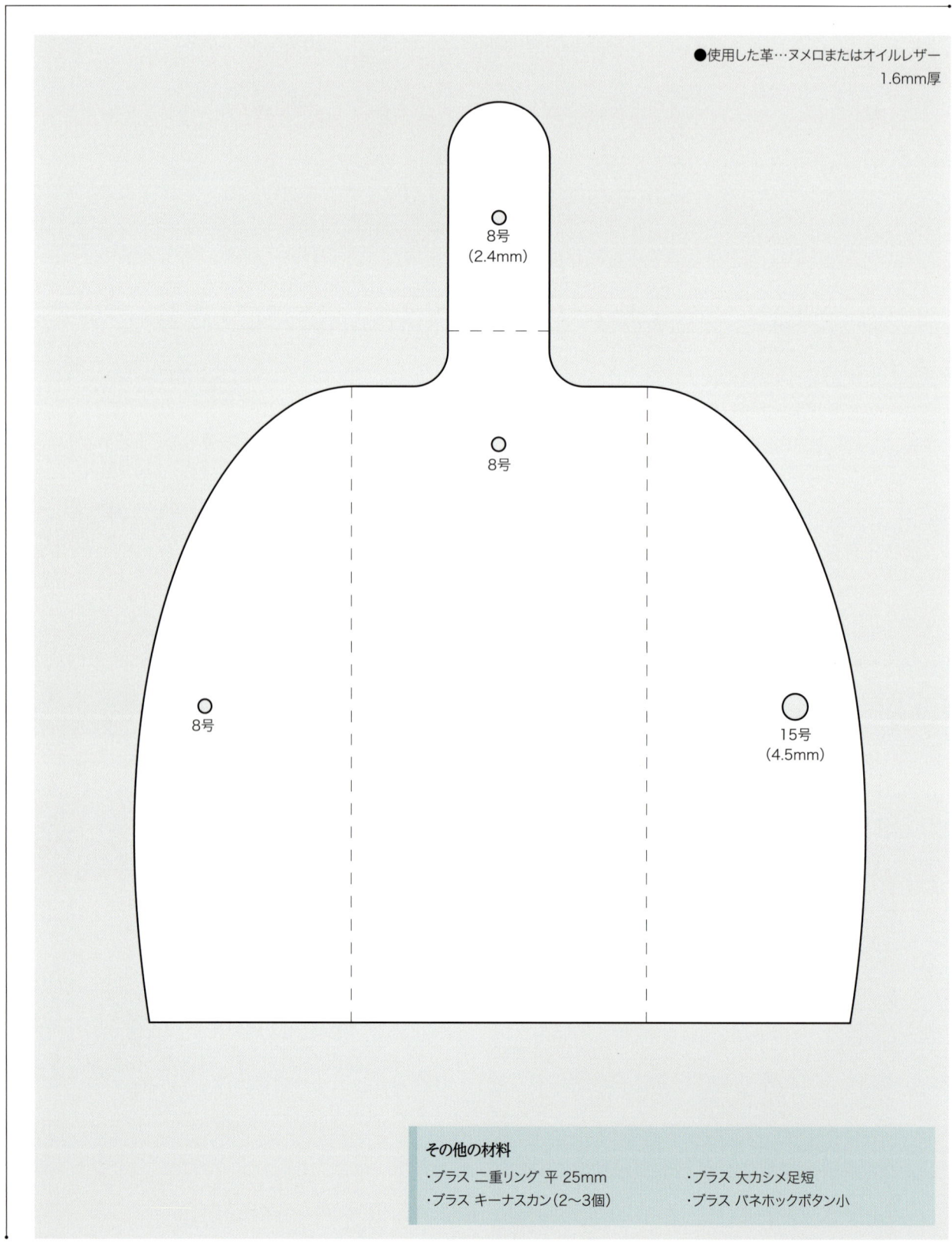

●使用した革…ヌメ口またはオイルレザー
1.6mm厚

8号
(2.4mm)

8号

8号

15号
(4.5mm)

その他の材料
・プラス 二重リング 平 25mm　・プラス 大カシメ足短
・プラス キーナスカン(2〜3個)　・プラス バネホックボタン小

組み立て Assembly

手 順

1. 二重リングにキーナスカンを通す。
2. 本体上部の出っ張りを床面側に折り曲げ、できたループに二重リングを通す。
3. 出っ張り先端の穴と本体側の穴を合わせ、カシメで固定する。
4. 本体左右の穴にバネホックボタンを取りつける。

完 成！

Advice

　カシメとバネホックを打って固定するだけで完成なので、組み立てにはさほど注意することはありません。
　革は、適度な厚みと張りがあるものを選ばないと、形が崩れてしまいます。金具の選択は自由度が高いので、いろいろなものと組み合わせてみても面白いでしょう。
　少し雰囲気を変えたい場合は、裏地をつけてみてはいかがでしょう。組み立てる前に、薄手の革（ピッグスエードなどがおすすめ）を貼りつけておくだけなので、簡単です。また、丸みを帯びたデザインを活かし、革用のインクを使ってスタンプを押すなど、好みの柄をつけても良いでしょう。シンプルゆえに、アレンジ次第でいろいろな仕上げにできるアイテムです。

Basic key case
ベーシック キーケース

よく見かけるスタンダードなタイプ。
内装をつけた、少ししっかりとした作りです。
ぐるりと一周を縫い合わせるので、
糸の色が程良いアクセントになります。
革と糸と金具の色合わせを工夫して、
好みの作品に仕上げてみてください。

性別や年齢に関係なく、誰にでも使えるベーシックなデザインなので、プレゼントにも最適。カラーリングを工夫すれば、気軽に個性を出すこともできる

型紙 Pattern

●使用した革…ヌメ口またはオイルレザー
本体厚み1.6mm　内装A〜C1.0mm程度

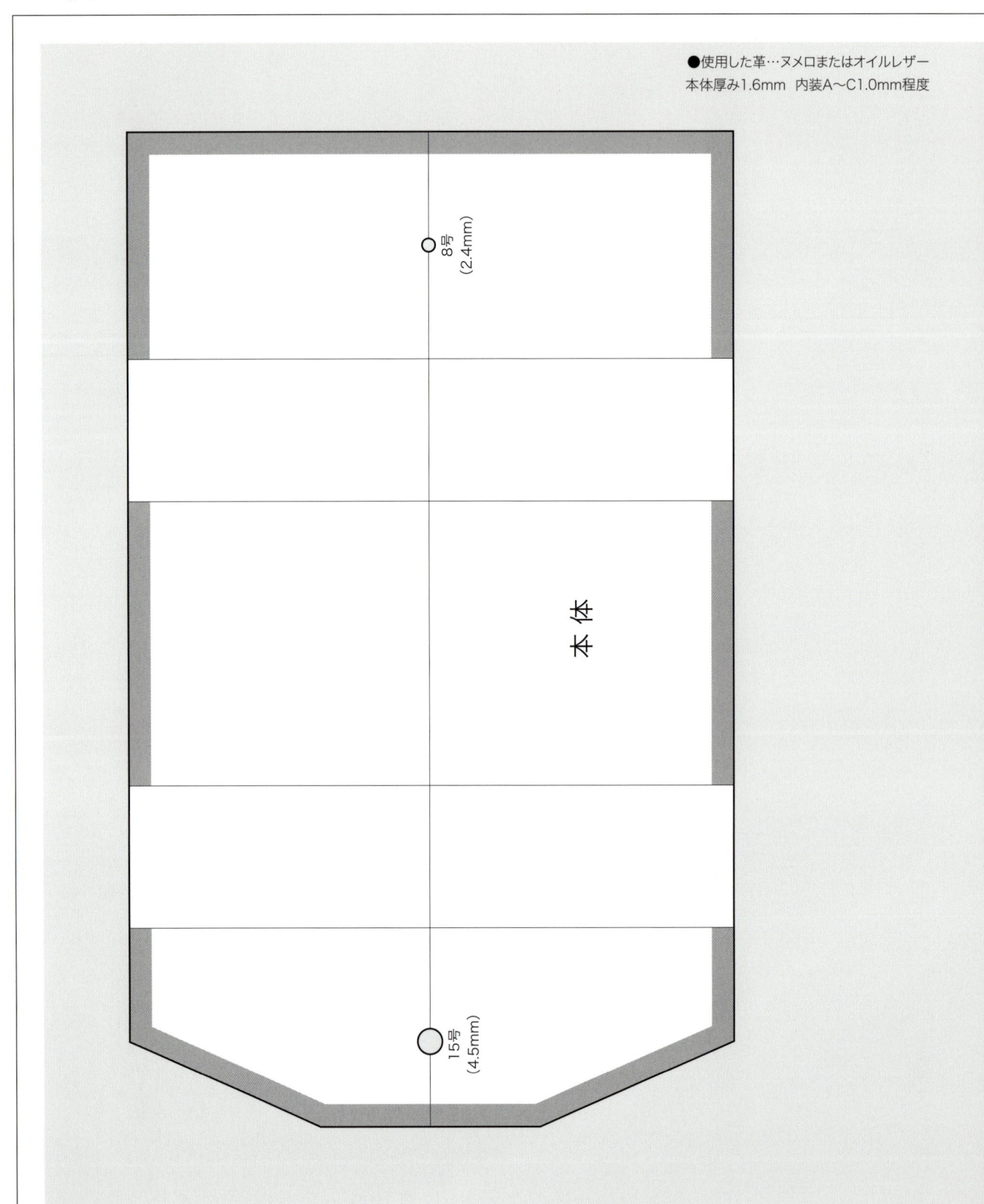

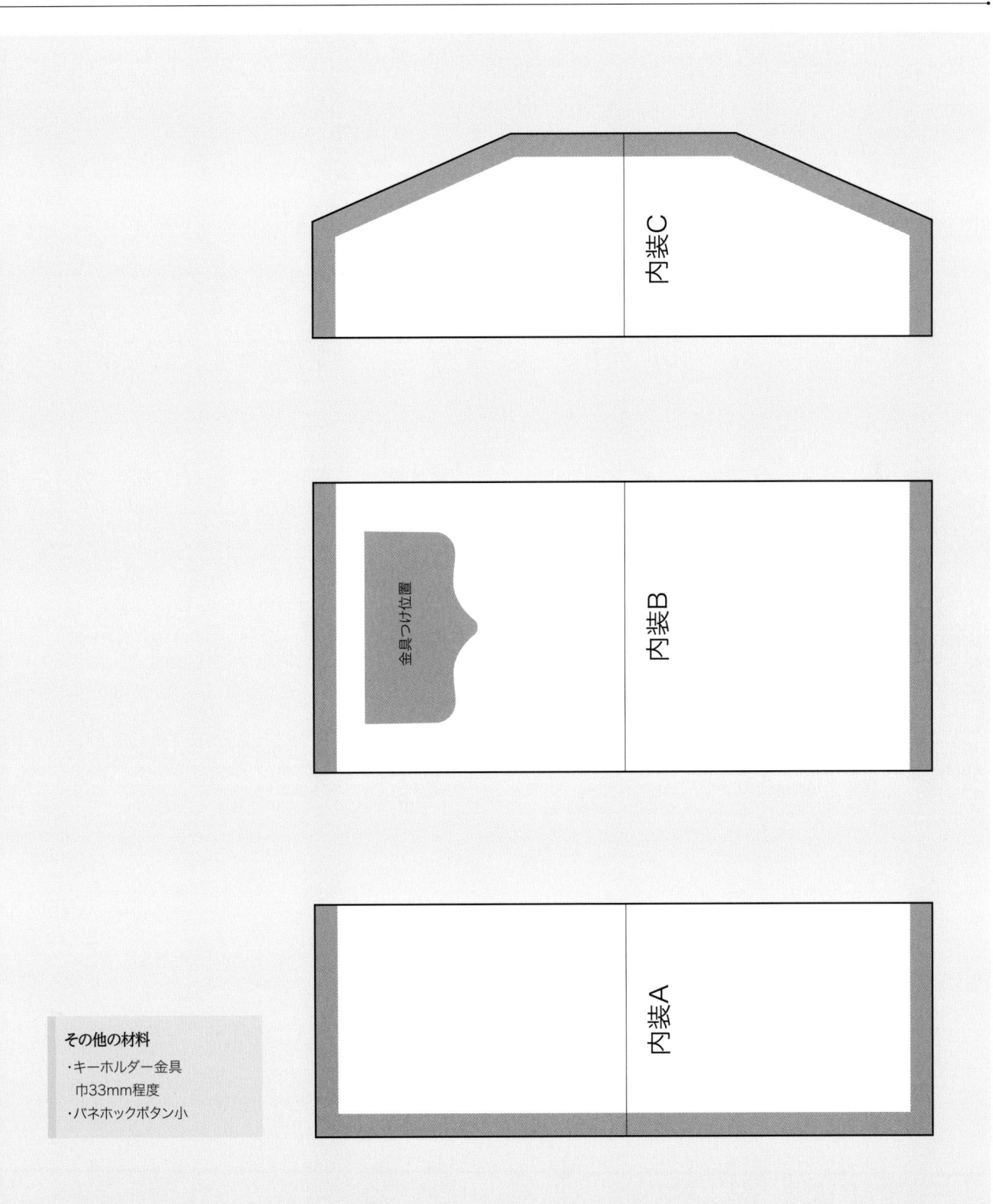

その他の材料
・キーホルダー金具
　巾33mm程度
・バネホックボタン小

組み立て Assembly

手順

① 内装Bの金具取りつけ位置にキーホルダー金具を合わせ、取りつけ穴の位置をキリなどで写す。

② 印をつけた位置に、取りつけ用の金具に合った大きさの穴をあける。セイワ製の四連キーホルダー金具の場合は、取りつけ用に「小カシメ両面足短」が付属しているので、7号（2.1mm）ハトメ抜きでOK。

③ 内装A〜Cと本体をノリ代で貼り合わせ、全周囲を縫い合わせる。

   Check! 完成品は、見た目の統一感を出すため、内装がない部分もつなげて縫っている。パーツごとに別々に縫い合わせてもOK。

④ 本体の型紙に記されているホックつけ位置に、内装ごと指定の大きさの穴をあけ、バネホックボタンを取りつける。

   Check! 本体の角が斜めにカットされている側を手前に重ねるので、こちらにバネホックのアタマを取りつける。

完 成！

Advice

内装がつくと、グッと本格的な雰囲気になります。金具も専用のキーホルダー金具を使うので、機能性も充分です。長く使えるアイテムになるでしょう。

組み立てはさほど難しくありませんが、金具をつける位置が横にずれたり、曲がったりすると目立ってしまいます。位置を決める時点で定規などを当て、正確なセンターと平行をチェックしておくと良いでしょう。穴位置を写すには、金具の穴の内側に沿ってキリなどの先端で線をけがけばOKです。カシメの打ちつけが弱いと金具がガタガタして外れやすくなるので、しっかりと固定されていることをチェックしておきましょう。

Bell-shaped key case
ベル型キーケース

ベル型の本体の中に鍵を収納し、
使うときだけ引き出すタイプです。
シンプルながらも独特なデザインは、
手作りのナチュラルな雰囲気と相性抜群。
ベーシックなデザインに飽きたら、
こちらにチャレンジしてみてください。

2枚のパーツを縫い合わせた本体に、金具つきのベルトが挟まった作り。本書の型紙は、鍵2つ程度がぴったりと収まる設計

# 型紙 Pattern

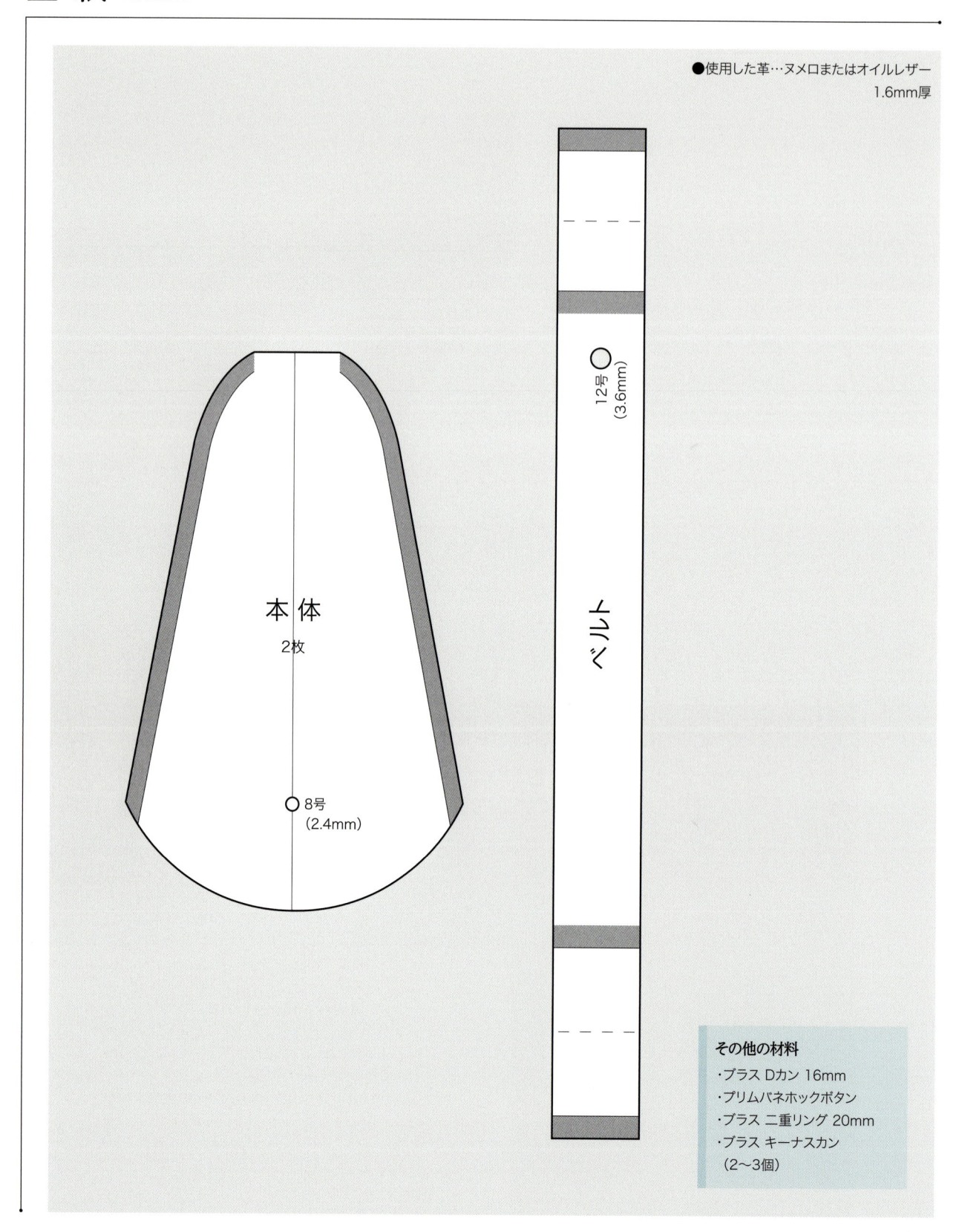

●使用した革…ヌメロまたはオイルレザー 1.6mm厚

本体
2枚

8号
(2.4mm)

ベルト

12号
(3.6mm)

その他の材料
・ブラス Dカン 16mm
・プリムバネホックボタン
・ブラス 二重リング 20mm
・ブラス キーナスカン
（2〜3個）

組み立て Assembly

手 順

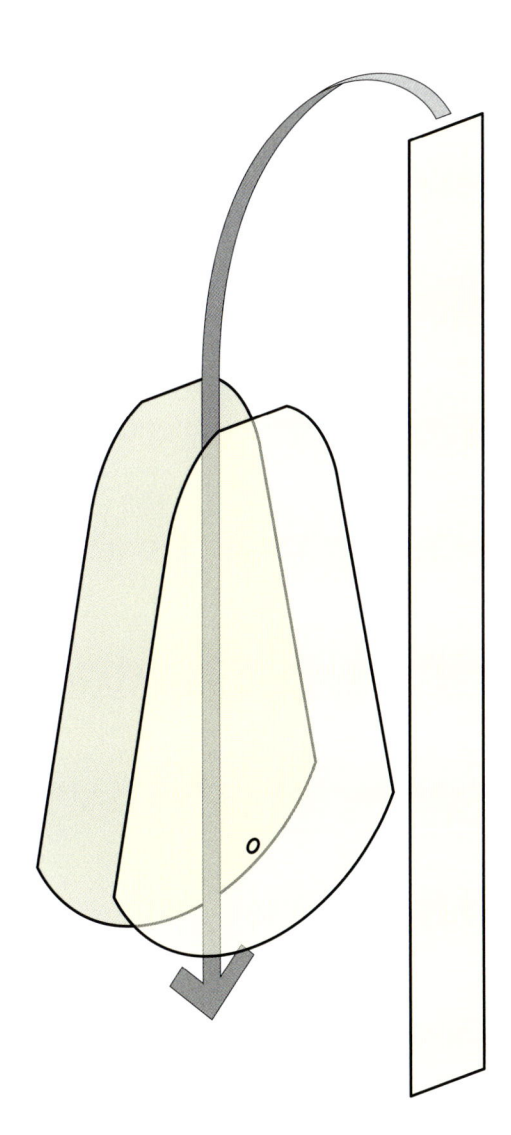

① 2枚の本体のうち、片方にハトメ抜きで穴をあけ、バネホックのゲンコを取りつける。

② 本体をノリ代で貼り合わせ、両サイドを縫い合わせる。縫い線の両端はかがって補強する。

③ 本体上部の隙間にベルトを差し込む。

Check! ブカブカにならないよう、ぴったりの設計なので、少し押し込むようにして通す。始めは多少きつくても、使っているうちに馴染んでくる。また、ベルトの床面を、本体のバネホックを取りつけた側に向けること。

④ ベルト上部にDカンを通した状態で折り返し、端を縫いつけて固定する。

⑤ ベルト上部の穴にバネホックのバネを取りつける。

⑥ ベルト下部に二重リングを通した状態で折り返し、端を縫いつけて固定する。

⑦ 二重リングにキーナスカンを取りつけて完成。

完 成！

Advice

家のドア用のスタンダードなサイズの鍵をつけると、収納したときに先端が1cmほど飛び出す設計です。これは、完全に収納されていると、引き出すのが大変になってしまうためです。大きさをアレンジして作る場合も、これを考慮して型紙を作り変えると良いでしょう。

ベルトは、本体を縫い合わせた後で隙間に通します。指定の革（厚み1.8mm程度）を使っていれば、ぴったりの設計なので、少しきついはず。使い始めは引き出すのに抵抗があるかもしれませんが、使っているうちに馴染んで緩んでくることを考えると、これくらいがちょうど良くなります。指定より厚い革や、固めの革を使った場合、どうしても通らないことがあるかもしれませんが、その場合はコバにトコノールを塗り、クジリなどを使ってすき間を広げるように磨くと良いでしょう。

Bell-shaped key case

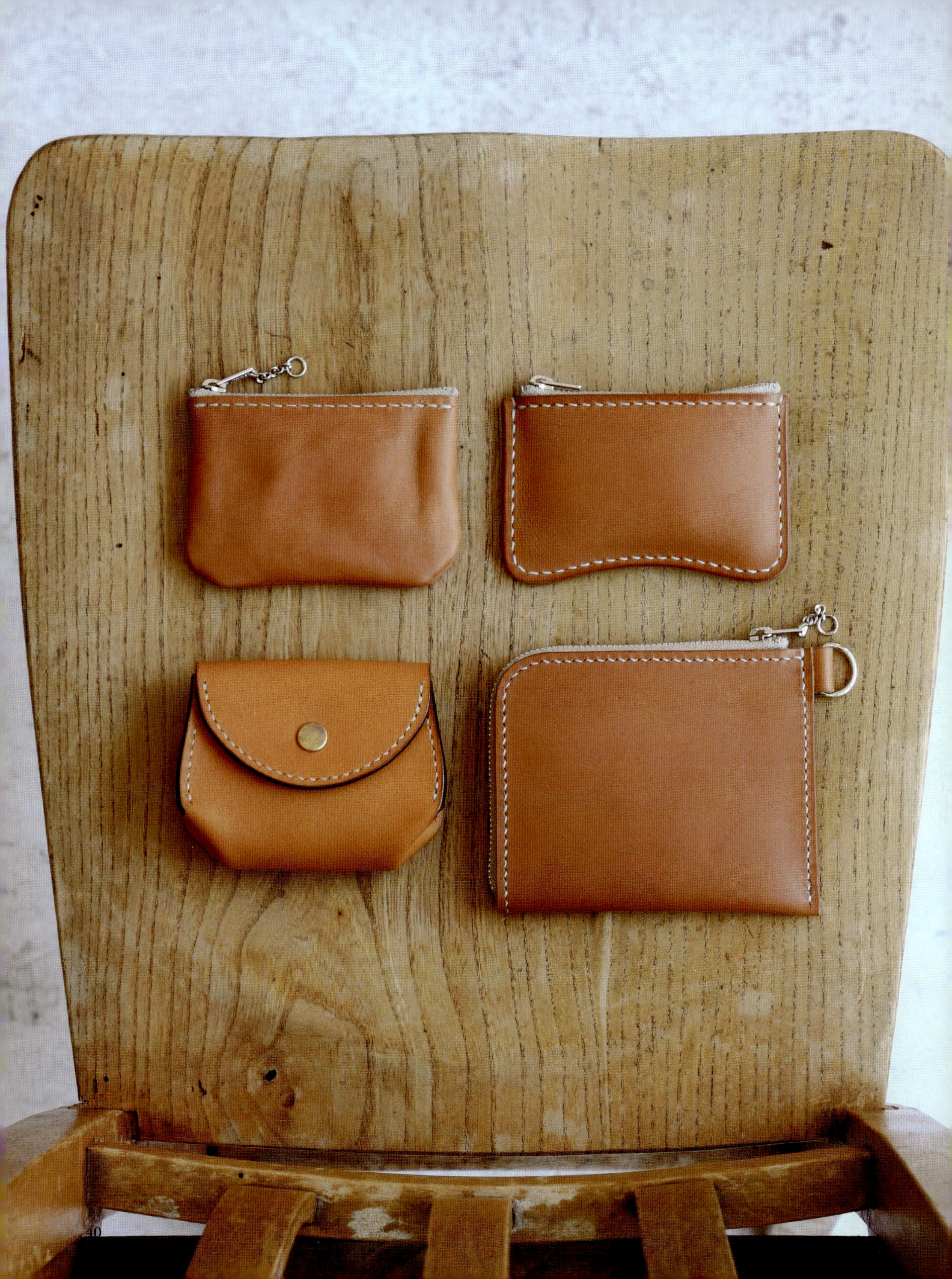

バリエーション豊かな
収納アイテム

革といえばケース。ケースといえば革。
多種多様なコインケース4種に
仕事でも活用できる書類ケースを足した、
計5種類のアイテムを紹介します。
コインケースのサイズを変更すれば、
いろいろなアイテムにアレンジできます。

- 外縫いコインケース ……………… P.42
- 内縫いコインケース ……………… P.48
- 箱型コインケース ………………… P.52
- L字ファスナーコインケース ……… P.56
- 書類ケース ………………………… P.64

Outseam coin case

外縫い
コインケース

外側を縫って袋型にするコインケース。
太めの糸で仕立てれば縫い目がアクセントになり、
外縫いならではの素朴な雰囲気になります。
形のアレンジも自由自在です。
ファスナータイプなので使い勝手も良く、
実用性も申し分ないアイテムです。

型紙 Pattern

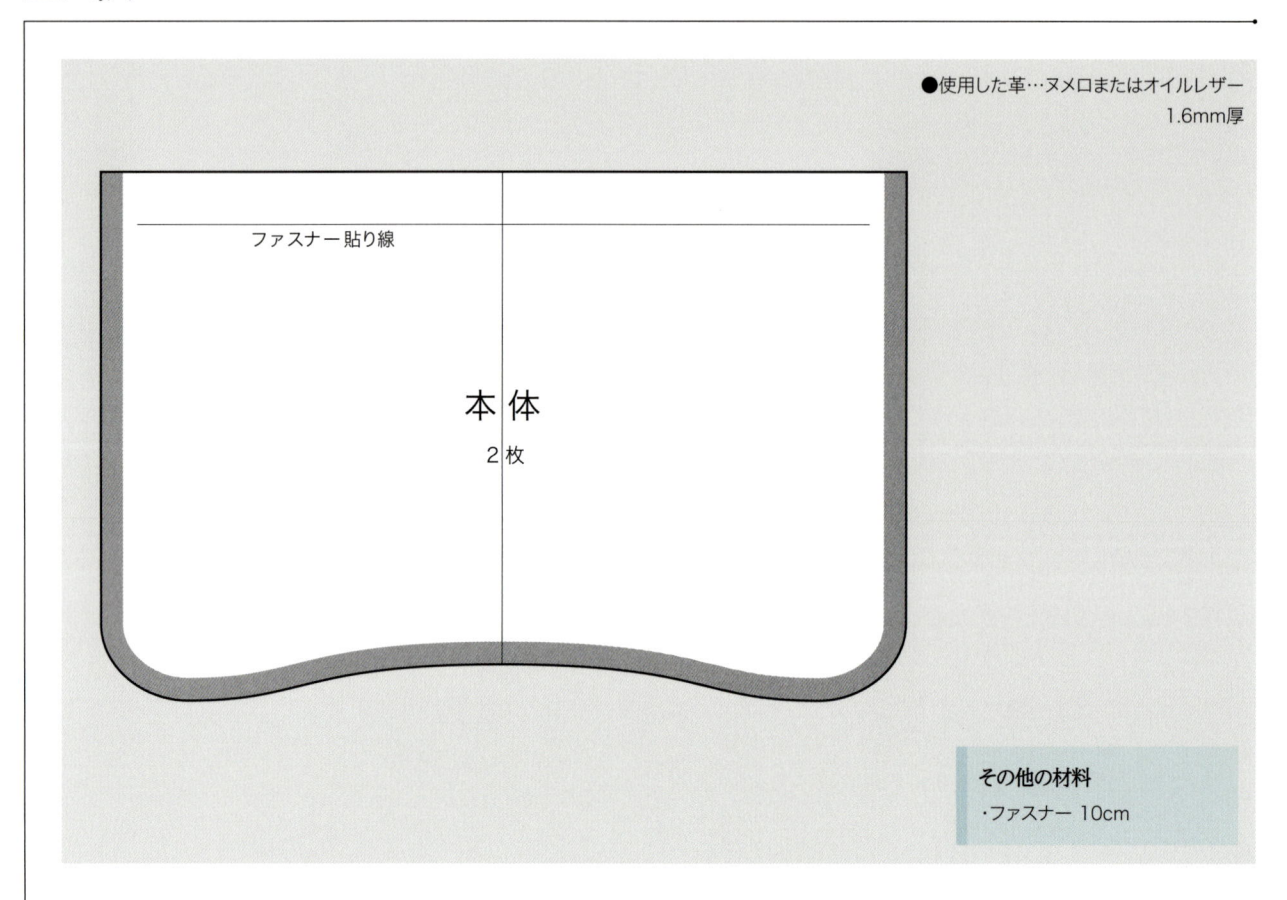

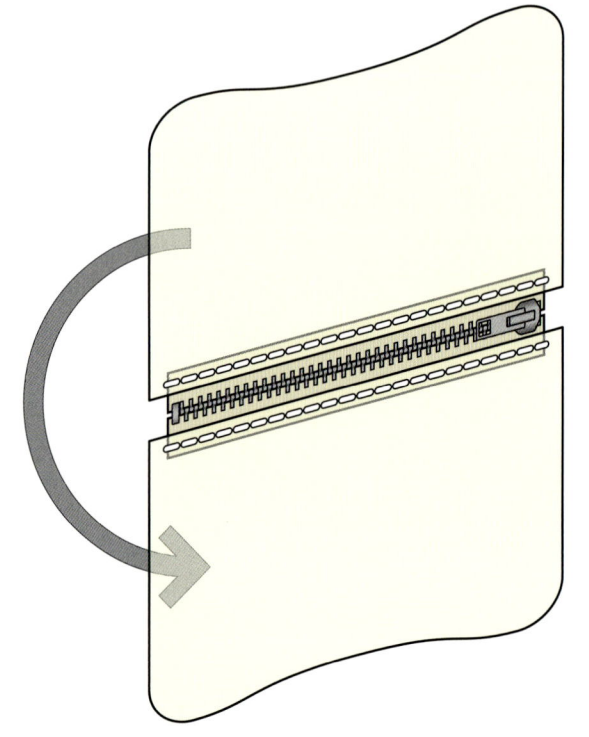

●使用した革…ヌメロまたはオイルレザー
1.6mm厚

ファスナー貼り線

本体
2枚

その他の材料
・ファスナー 10cm

組み立て Assembly

手 順

① ファスナーテープの端を『Point 1』の方法で処理する。

② ファスナーテープと本体を貼り合わせる（『Point 2』参照）。

③ 貼り合わせた本体とファスナーを縫い合わせる。

④ ファスナーを中心に折り曲げ、本体の床面を内側にしてノリ代を貼り合わせる。

⑤ 貼り合わせた部分を縫い合わせる。

完 成 ！

Advice

48ページから紹介している「内縫いコインケース」と対になるアイテムです。ほぼ同じ構造ながら、縫い方の違いで雰囲気がガラリと変わります。

本体パーツの上部（開口部）にファスナーを縫いつけた後、本体の端を縫い合わせて完成させます。縫い目と革のコバが外側に出るので、革と糸の素材感が活きたナチュラルな仕上がりになります。縫い目が目立つので、手縫い用のやや太めの糸を使い、デザイン上のアクセントにしましょう。色つきの革を使っている場合は、糸の色もそれに合わせて選び、色のコンビネーションを楽しんでください。迷った場合は、白やベージュの薄い糸なら間違いありません。

コバは磨いてしっかり仕上げても良いですし、磨かずにラフな感じにしても良いでしょう。

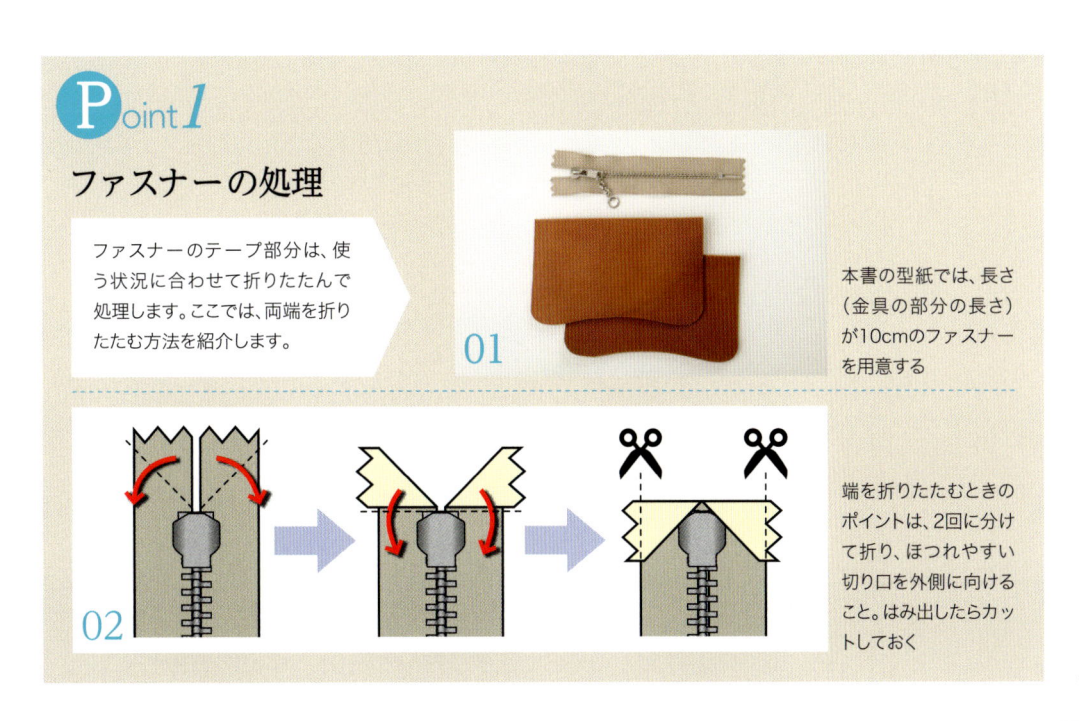

Point 1

ファスナーの処理

ファスナーのテープ部分は、使う状況に合わせて折りたたんで処理します。ここでは、両端を折りたたむ方法を紹介します。

01　本書の型紙では、長さ（金具の部分の長さ）が10cmのファスナーを用意する

02　端を折りたたむときのポイントは、2回に分けて折り、ほつれやすい切り口を外側に向けること。はみ出したらカットしておく

Outseam coin case

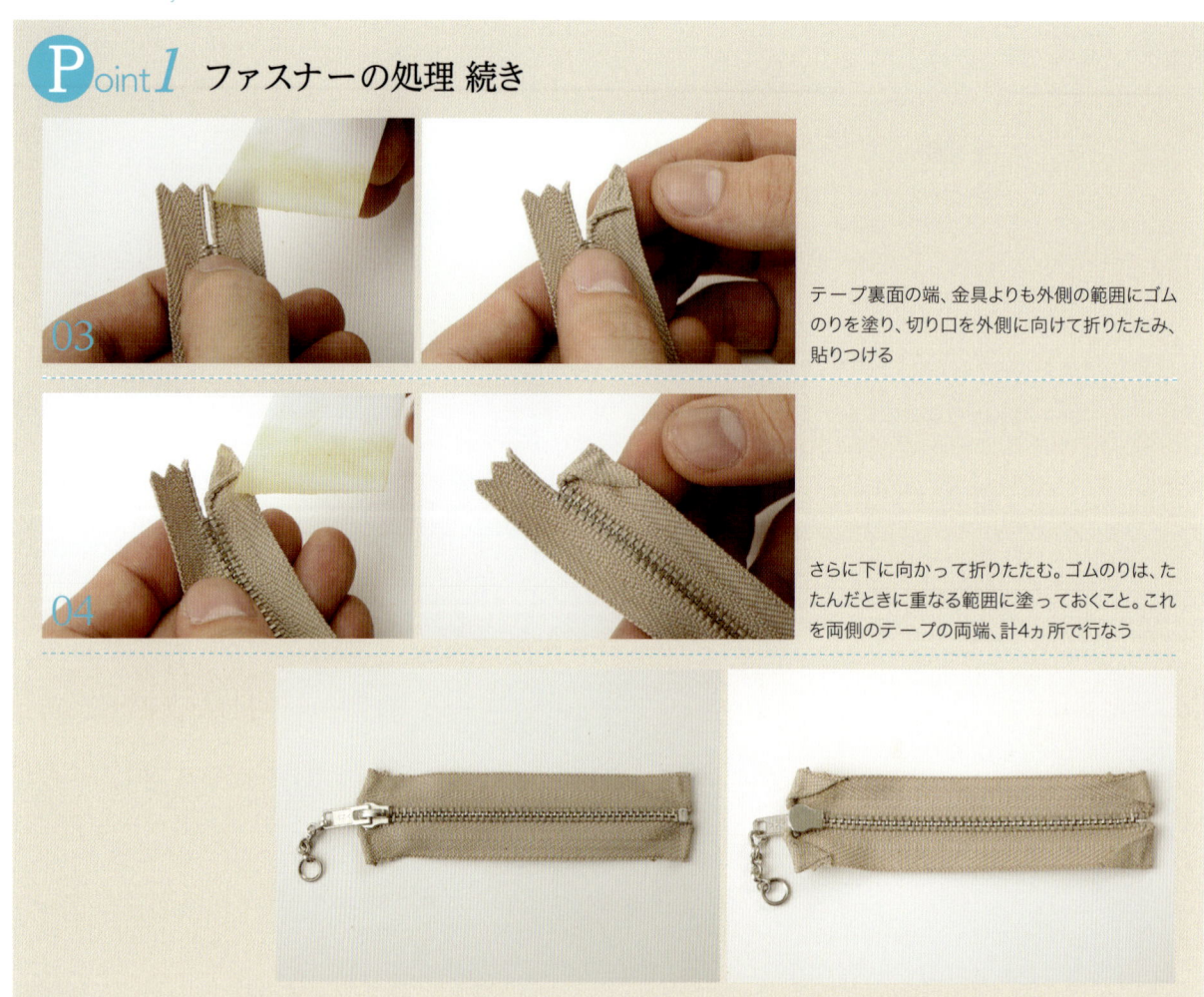

組み立て Assembly

Point 1 ファスナーの処理 続き

03

テープ裏面の端、金具よりも外側の範囲にゴムのりを塗り、切り口を外側に向けて折りたたみ、貼りつける

04

さらに下に向かって折りたたむ。ゴムのりは、たたんだときに重なる範囲に塗っておくこと。これを両側のテープの両端、計4ヵ所で行なう

Point 2 ファスナーを本体に貼る

01

ファスナーテープ表面の外側に2mm巾の両面テープを貼り、剥離紙を剥がしておく。ファスナーをまっすぐに伸ばした状態で下に置き、本体側の位置をチェックしながら貼り合わせる。両面テープがなければゴムのりでも良いが、貼り合わせる範囲をはみ出さないように注意

02

貼り合わせながら、2枚の本体パーツが左右対称であること、ファスナーとの隙間が均等になっていること、ファスナー両端の隙間が同じになっていることをチェックする。バランス良く貼らないと、本体を縫い合わせたときに歪んでしまう

Outseam coin case

コバや縫い目が隠れるので、無骨さがなくなり、マイルドで
女性的なイメージになる。本体が膨れ、その分がマチとして
機能するので、収納力と使い勝手もアップ

Inseam coin case
内縫いコインケース

ぷっくりとしたソフトな印象のコインケース。
外縫いと対照的な「内縫い」で作ります。
ほぼ同じ構造を持ちながら、
雰囲気がガラッと変わるのが面白い。
裏返した後のフォルムがきれいになるよう、
パーツの段階で一手間を加えておきます。

型 紙 Pattern

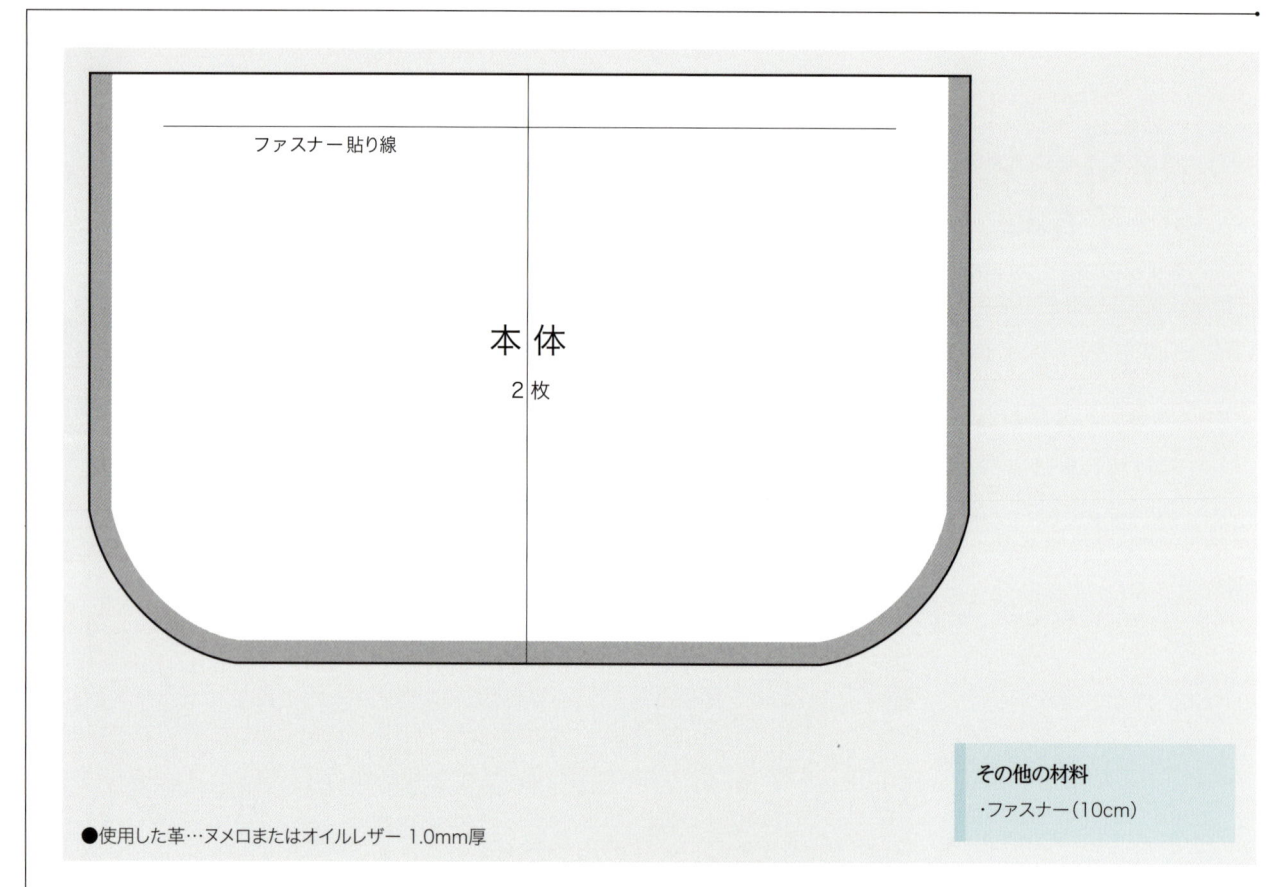

ファスナー貼り線

本 体
2枚

● 使用した革…ヌメロまたはオイルレザー 1.0mm厚

その他の材料
・ファスナー（10cm）

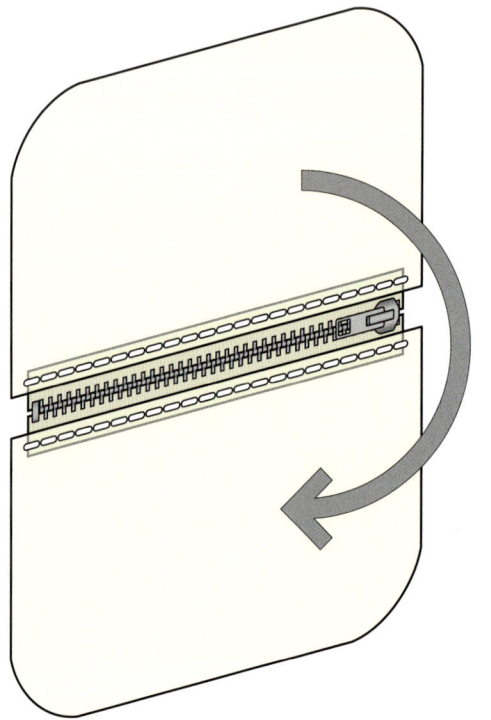

組み立て Assembly

手順

① 外縫いコインケースと同じ手順で、ファスナーを本体の開口部に縫い合わせる。

② 本体ギン面のノリ代を貼り合わせ、側面を縫い合わせる。

③ ファスナーを開き、底部を開口部から押し出すようにして本体を返す。

④ 開口部から手を入れ、底と側面を押し出して形を整える。

完 成！

Advice
本体側面を漉き、仕上がりを良くする

本体を返す内縫い仕立てでは、縫製部(床面の革)をあらかじめ薄く漉いておくと、返した際に縫製部脇の膨らみが際立ち、仕上がりが良くなります。この一手間の効果は非常に大きいので、内縫いで作品を仕立てる際は、ぜひとも実践してみてください。

ファスナーを縫い合わせる前に、本体床面の開口部を除く3辺、ノリ代と同程度の巾を半分の厚みに漉いておく

Point 1
本体の返し方

縫製を終えた本体を返す際は、革のギン面を傷つけたり、不用意に折り跡をつけてしまわないよう、優しく丁寧に返しましょう。

01 前頁の外縫いコインケースと同様にして、本体の開口部にファスナーを縫い合わせる。ギン面合わせでファスナー部を折り、本体の側面を縫い合わせる

02 ファスナーを開き、本体の底、どちらか片方の角に指先を合わせ、開口部に向けて押し込む。押し込んだ角を開口部から引き出す

03 残りの角も開口部から引き出し、本体側面の縫製部両脇を膨らませるように広げ、形を整える

Inseam coin case

51

Box coin case
箱型コインケース

ワンピース構造なので気軽に作れるものの、
カブセがついて使いやすいスタイル。
四角のコバを出す縫い目が、
デザイン上のアクセントにもなっています。
曲線的なフォルムを活かし、
ふんわりとした雰囲気に仕上げましょう。

本体の側面部分がマチになり、前後が胴になる。後ろ側の胴はカブセにもなっている。底の折り目はしっかりと折るのではなく、ぷっくりとした感じに仕上げるのがコツ

同様のワンピース構造で、各部のサイズをアレンジすれば、このようなミニコインケースも作ることができる

型 紙 Pattern

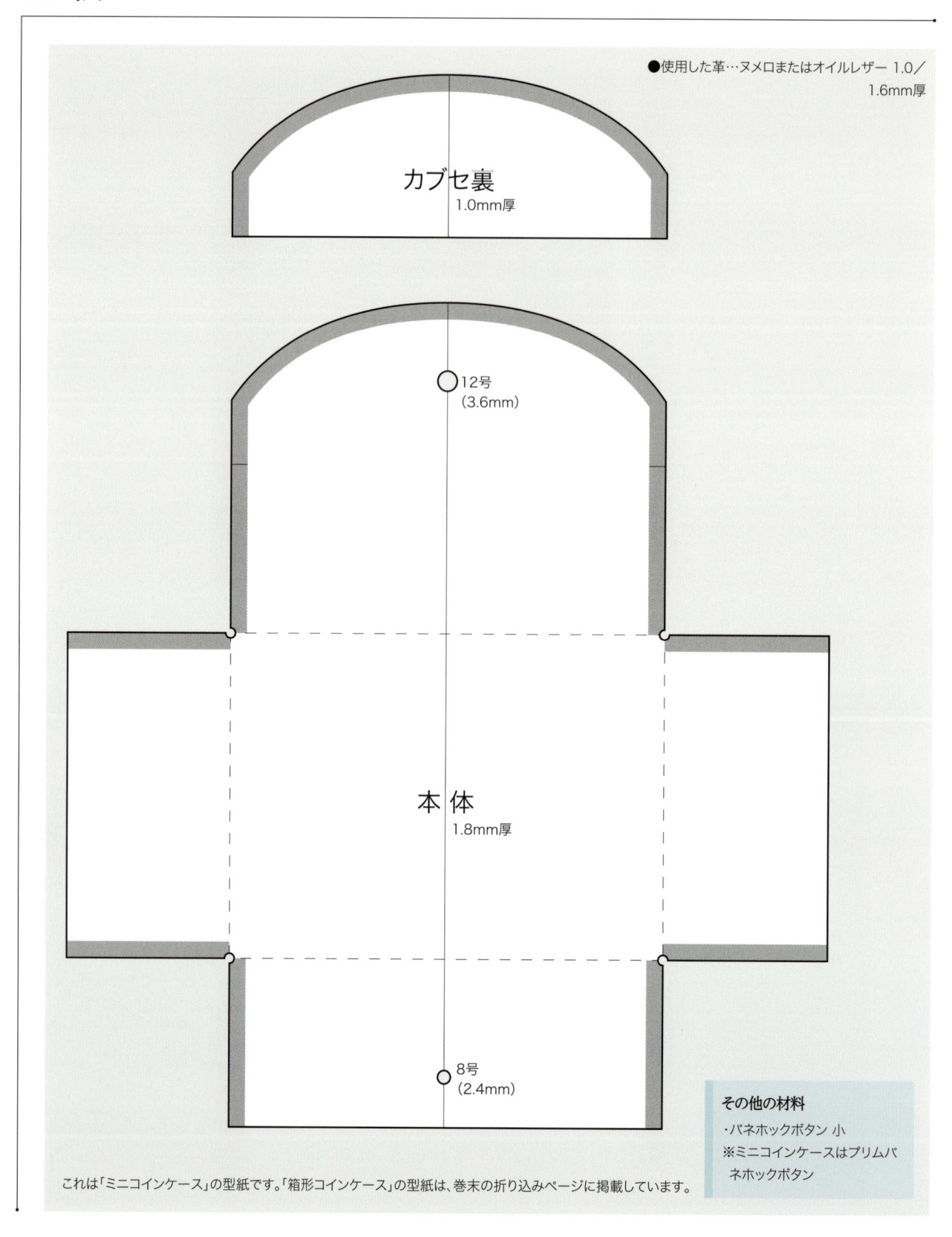

●使用した革…ヌメロまたはオイルレザー 1.0／1.6mm厚

カブセ裏
1.0mm厚

12号
(3.6mm)

本 体
1.8mm厚

8号
(2.4mm)

これは「ミニコインケース」の型紙です。「箱形コインケース」の型紙は、巻末の折り込みページに掲載しています。

その他の材料
・バネホックボタン 小
※ミニコインケースはプリムバネホックボタン

組み立て Assembly

手順

1. 本体カブセ部分の裏に、「カブセ裏」を縫いつける。
2. 本体のカブセ部分に「カブセ裏」ごと穴をあけ、バネホックのバネを取りつける。胴体側にはバネホックのゲンコを取りつける。
3. 4方向に広がっている胴体のサイド同士を縫い合わせ、袋型にする。縫い目の上端は外側をかがり、補強すると良い。
4. マチ部分に緩やかな折り目をつけ、形を整える。

完 成 ！

Advice

　立体的な構造ですが、ワンピースの型紙で、対応する部分を縫い合わせれば完成するので、気軽に作ることができます。張りが弱めのタンニンなめし革などを使い、ふんわりと曲線を活かして仕上げるのがおすすめです。固すぎる革、または柔らかすぎる革を使うと、思いどおりの形になりにくいので注意してください。
　この構造は、各部の寸法を調節することでいろいろな形を作ることができるので、応用が効きます（縫い目の長さは同じにしてください）。直線や曲線を織り交ぜて、オリジナルの形を編み出してみてください。ただし、本体とカブセのバランスが合っていないとコインがこぼれてしまうこともあるので、革で作る前に端切れや紙などで試作し、微調整すると良いでしょう。

Box coin case

L-shaped fastener coin case
L字ファスナーコインケース

Dカンとファスナーの引き手を結ぶように革ひもを取りつければ、子供用の財布兼ポーチにも活用可能。首から提げておけば、こぼれたり失くしたりしにくい優れもの

大きく開くL字型ファスナー。
カードや札も気軽に詰め込める収納力。
革のナチュラルな風合いも活きる。
機能性とデザインのバランスが取れた、
男女ともに人気を集めるアイテムです。
ファスナーの貼り方がポイント。

型 紙 Pattern

●使用した革…ヌメロまたはオイルレザー
1.0／1.6mm厚

ファスナー貼り線

本 体
1.8mm厚

その他の材料
・ファスナー（20cm）

内ポケット
1.0mm厚

Dカン留め
1.8mm厚

組み立て Assembly

手順

1. 内ポケットを折り線で折り、コの字型のノリ代を貼り合わせて縫う。
2. ファスナーの上止め側（閉めたときのスライダー側）のみテープを折って処理する（テープの処理の仕方はp.45「ファスナーの処理」参照）。
3. 本体のファスナーを貼る範囲に縫い穴をあける（「Point 1 縫い穴をあける」参照）。
4. ファスナーの両サイドに2mm巾の両面テープを貼り、本体の貼り線に沿って貼りつける（「Point 2 ファスナーの立体的な貼り方」参照）。
5. ファスナーを縫う。

    Check! ファスナーは両サイドをひとつなぎにして縫う。中央部分（本体の折り目）を越す際、ファスナーの外側の革だけを縫うので注意する「Point 3 ファスナーの縫いつけ」参照）。
6. Dカン留めにDカンを通し、半分に折って端を5mmほど貼り合わせる。
7. Dカン留めと内ポケットを本体に挟み、縫い合わせる（「Point 4 本体の縫い合わせ」参照）。

完 成！

Advice

なんといってもファスナーの貼りつけ作業がポイントです。両サイドが均等な幅で貼れていなかったり、曲がっていたりすると、フタを閉めたときに本体が歪んでしまいます。ガイドラインとなるファスナー貼り線をしっかり引いておき、全体のバランスをよく確かめながら貼りつけましょう。ゴムのりで貼りつけても大丈夫ですが、何度も貼り直せる両面テープをおすすめします。ゴムのりも貼り直しはできますが、接着力が強いので繰り返すごとに革が毛羽立ってしまいます。
サイズアレンジも、各部の寸法を調整するだけなので、比較的簡単です。ただし、ファスナーの長さを合わせる作業が発生するので、注意してください。

Point 1

縫い穴をあける

本体には、あらかじめファスナーと縫い合わせるための縫い穴をあけておきます。基点となる両端、センターには丸穴をあけます。

01
ファスナーとの貼り合わせ位置（型紙参照）に、表から縫い線を引く（本書では3mm巾）

02
縫い線の両端、及びセンターの3ヵ所には、目打ちで丸穴をあける。センターは定規を使って正確に出す

60

Point 1 縫い穴をあける 続き

03

どちらかの端から縫い穴をあけていく。センターの丸穴の付近は、間隔がなるべく均等になるように位置を調節しながら菱目を打つ

コの字型に縫い穴があいた様子。本体をセンターで折りたたむとL字型になる。ファスナーのテープ部分には菱目を打たないので、貼った後は、そのまま手縫い針で縫い合わせる

Point 2 ファスナーの立体的な貼り方

ファスナーを曲げながら立体的に貼るので、歪んだり曲がったりしやすく、少しコツが必要。貼り線をしっかりと写しましょう。

01

本体の床面（縫い穴をあけた裏側）に、型紙のファスナー貼り線を写す。端から6mmの位置なので、皮革用コンパスを6mmにセットし、コバに沿って線を引く方法でもOK

02

上止め側だけ折りたたんで処理したファスナー（処理方法はp.45）表面の両端に、2mm巾の両面テープを貼る

03

ファスナーを開き、片側ずつ貼り線に沿って貼っていく。テープの端を、2つ目の縫い穴に合わせる

04

カーブの部分は貼らずに浮かせたまま、センターまで貼りつける。下止め側のテープは、本体の内側に隠す

L-shaped fastener coin case

61

組み立て Assembly

Point 2 ファスナーの立体的な貼り方

05

カーブの部分はテープが余るので、シワを均等に寄せながらきれいに貼りつける。まずカーブの中央を潰して波を2つに割り、さらに左右の波の中央を潰す。

06

4つの均等な波ができたら、上から押さえて圧着する。テープの表から見たとき、なるべくスムーズなカーブを描くように心がけると良い

ファスナーの片側を貼り終えたところ。テープ全体を見渡し、曲がっていたり、シワが寄ったりしていないことを確かめておく

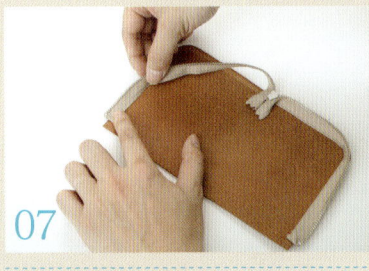

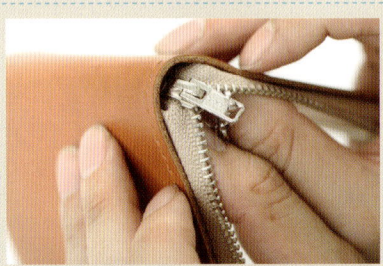

07

続いて、先ほどと同じ要領でもう片側を貼っていく。中央まで貼り進めたとき、両側の端が同じ高さに来ているように貼ること。ずれていた場合は、剥がしてもう一度やり直せば良い

08

貼り終えたらファスナーを閉じ、全体のバランスや歪みをチェックする。縫いつけると修正できないので、この時点でしっかりと整えておく

Point 3 ファスナーの縫いつけ

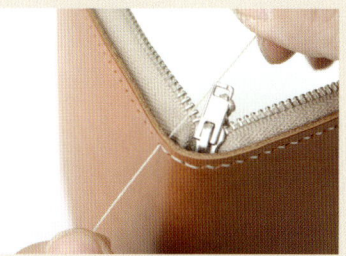

01

02

縫い合わせは、すでにあけてある縫い穴を縫い進めるだけ。ただし、ファスナーを貼っていないセンター部分は、革だけを縫うことになるので、そこだけ注意

ファスナーを貼っていない範囲を過ぎたら、また針をファスナーに通し、引き続き縫い進める

Point 4 本体の縫い合わせ

ファスナーを縫いつけた本体を半分に折り、内ポケットとDカン留めを挟み込んで一緒に縫い合わせます。

内ポケットは折りたたんでノリ代を縫い合わせた状態（手順①）。Dカン留めは半分に折り、端から5mm程度を接着しておく（手順⑥）

01

02

03

04

01 本体の上端に合わせ、Dカン留めを接着する。巾8mmほど重ねる設計になっているが、革の様子を見て微調整すると良い

02 Dカン留めのすぐ下に、隙間をあけず内ポケットを貼りつける。こちらは端を揃える

03 Dカン留めと内ポケットを挟み込むように本体を折りたたみ、しっかり貼り合わせる

04 あとは通常の手順で縫い合わせたら完成。ただし、Dカンの部分はやや厚手になっているので、菱目打ちで無理に貫通させず、「ひしきり」を使って貫通させると縫い目がきれいに整う

L-shaped fastener coin case

A4サイズの書類が収納できる、
封筒型の書類ケース。
総面積が大きい分、
素材感がダイレクトに出る作品です。
仕事中でも革の持つ温かみを
密かに感じることができます。

Document case
書類ケース

前と後ろの胴を縫い合わせ、留めひもとボタンをつけたシンプルな構造。通しマチ(p.100)や分割通しマチ(p.110)と組み合わせれば、さらに収納力をアップでき、クラッチバッグとしても活用できる

型 紙 Pattern

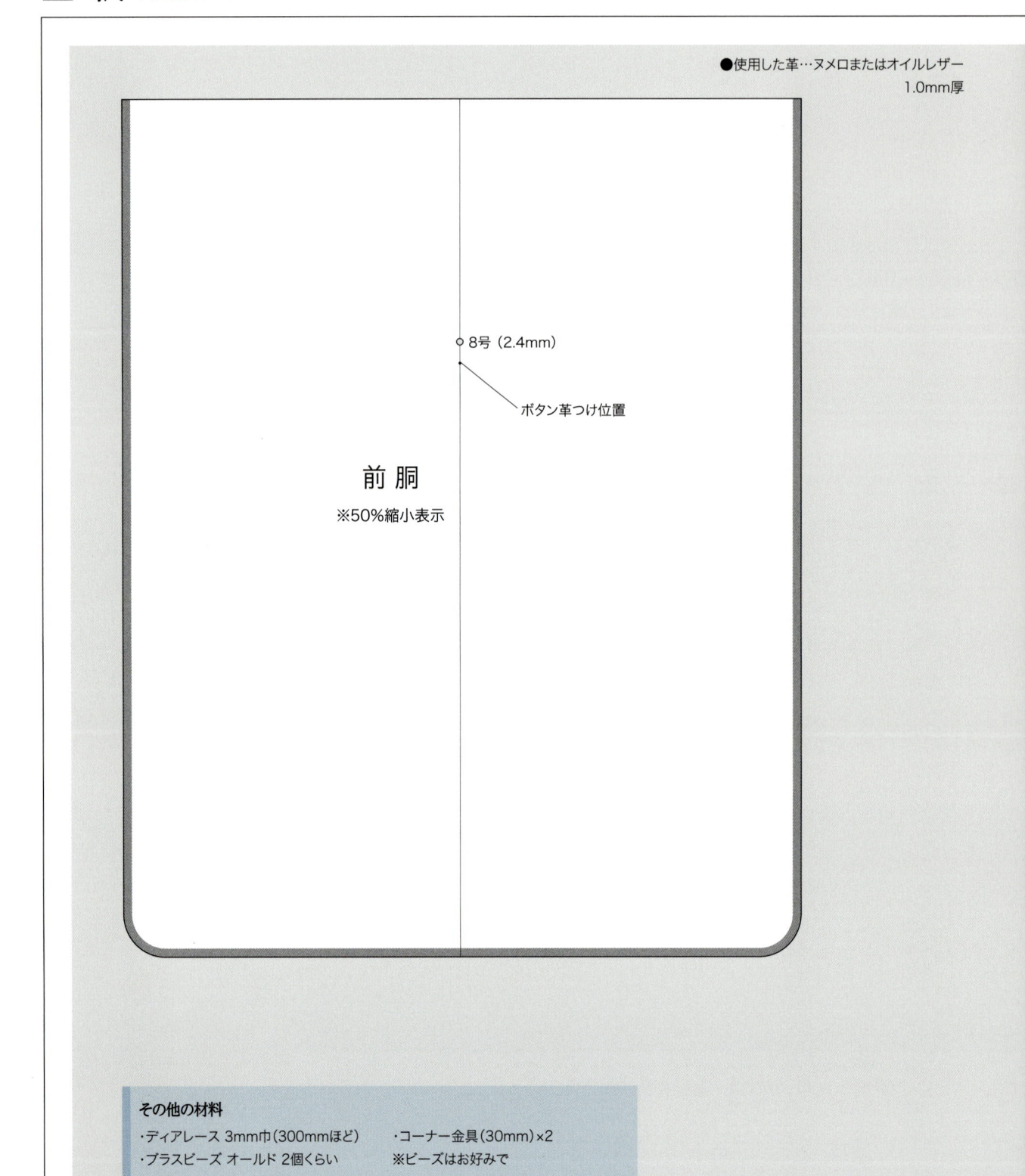

●使用した革…ヌメロまたはオイルレザー
1.0mm厚

○ 8号（2.4mm）

ボタン革つけ位置

前 胴
※50%縮小表示

その他の材料
・ディアレース 3mm巾（300mmほど）　・コーナー金具（30mm）×2
・ブラスビーズ オールド 2個くらい　※ビーズはお好みで

Document case

ボタン革つけ位置

背 胴

※50%縮小表示

ボタン革
70号
(21mm)

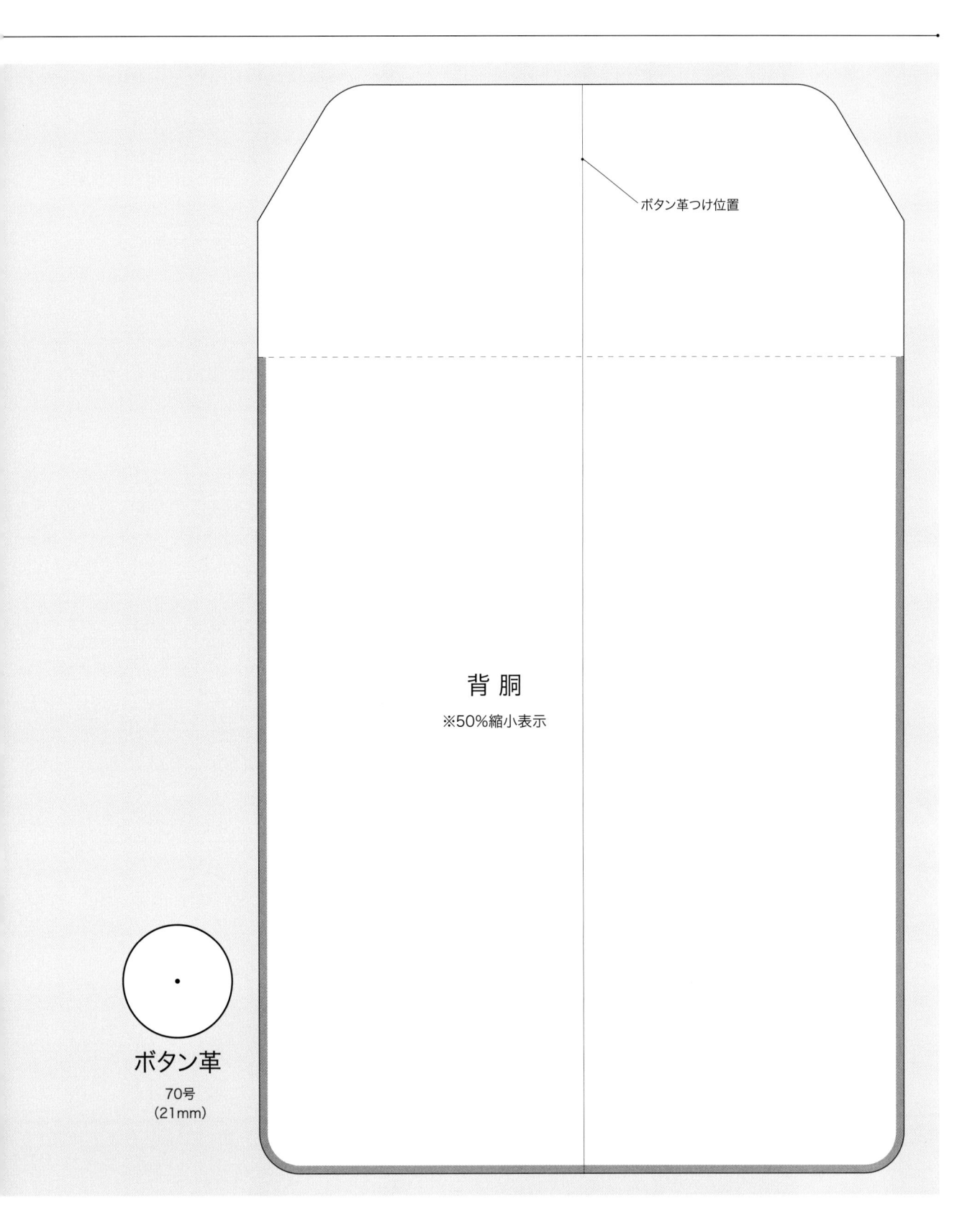

67

組み立て Assembly

手 順

① ボタン革を切り出し、前胴と背胴のギン面、取りつけ位置に縫い合わせる。

Check! ボタン革の代わりに「マグネット」や「ギボシ」、「差し込み錠前」等を使い、かぶせの留め方をアレンジしても良い。

② ディアレースの片端を止め結びし、床面から前胴の取りつけ位置に通して留める。

Check! 表に出るディアレースの端は、ブラスビーズ等の飾りをつけて止め結びする。

③ 前胴と背胴のノリ代を貼り合わせ、背胴のカブセ部分も含め、全側面を縫い合わせる。

Check! 前胴・開口部の段差部分は、強度を保たせるために目を重ねる。カブセ部分は「飾り縫い」なので、好みによりステッチを省略しても良い。縫う距離が長いため、複数回に分けて縫い合わせると良い。その場合は、底側の両角を縫い終わりにすると、コーナー金具で糸を始末した跡を隠すことができる。

④ 底部の両角に、コーナー金具を取りつける。

完 成！

Point 1
コーナー金具のつけ方

本体底側の角の補強と、デザイン上のアクセントになる「コーナー金具」。取りつけ方は両端を潰すだけと、非常に簡単。

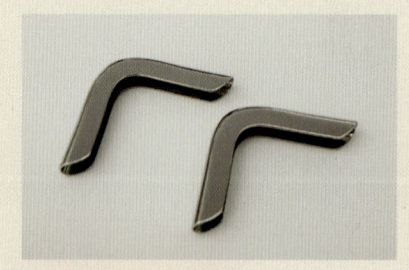

金属製のコーナー金具は、その内側の溝に革を収め、両端を潰して固定する

01 金具の溝に本体の角を完全に収め、金具を傷つけないようにウエス等をあてがい、その両端を平先の仕立て用ヤットコで潰す（※右写真は、ウエス下の潰す位置を表す）

02 反対側の端も同様に潰せば、取りつけは終了。強固に取りつけたい場合は、G17ボンド等の合成ゴム系接着剤を併用すると良い

Document case

いろいろな
マチの革小物

収納力や機能性を高めた、
バッグタイプのアイテムを作るなら、
マチは避けて通れません。
手縫いで作れるいろいろなマチを集め、
それぞれ個性的な作品に仕上げました。
他のアイテムを作るときにも、
必ず役に立つはずです。

- ササマチカードケース P.72
- トコマチカードケース P.78
- 横マチペンケース P.84
- 捨てマチペンケース P.90
- 通しマチポーチ P.100
- 分割通しマチポーチ P.110

71

V gusset card case
ササマチカードケース

扇型のシンプルな「ササマチ」を使った、
ベーシックなタイプのカードケース。
札入れや小銭入れなど、
様々なアイテムにも活用できます。
本体は、胴とカブセが一体になった、
ワンピース構造で作ります。

マチの幅を変えることで開き具合を調整できる。閉じたときは折りたたまれるので、コンパクトに仕上がるのが特徴

型紙 Pattern

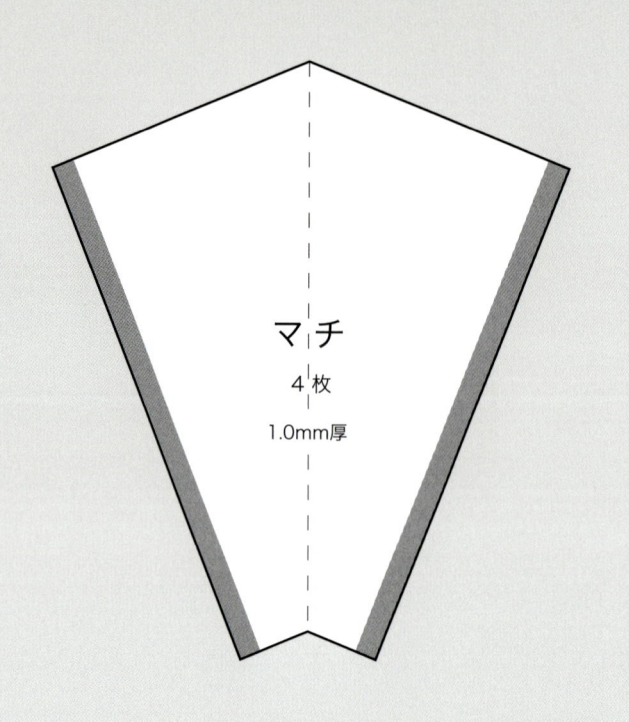

●使用した革…ヌメ口またはオイルレザー
1.0／1.6mm厚

マ チ
4枚
1.0mm厚

オ ビ　1.8mm厚

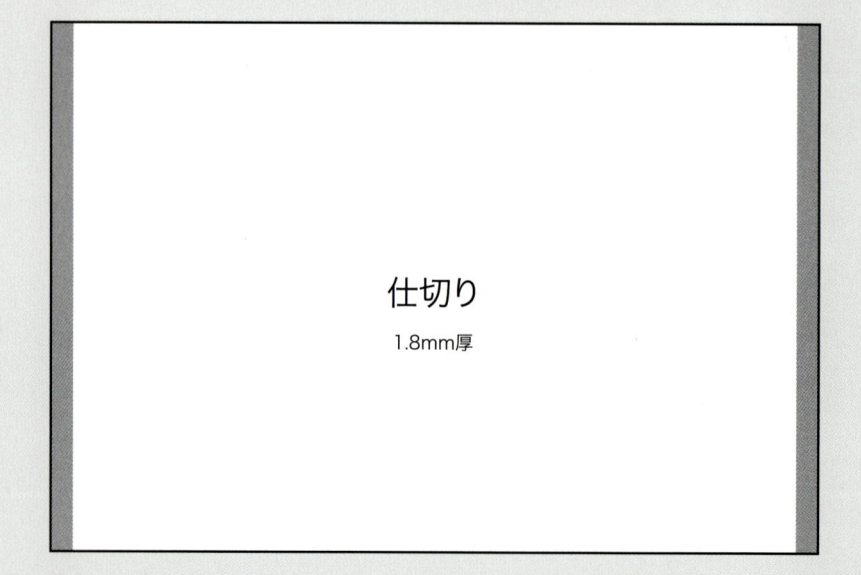

仕切り
1.8mm厚

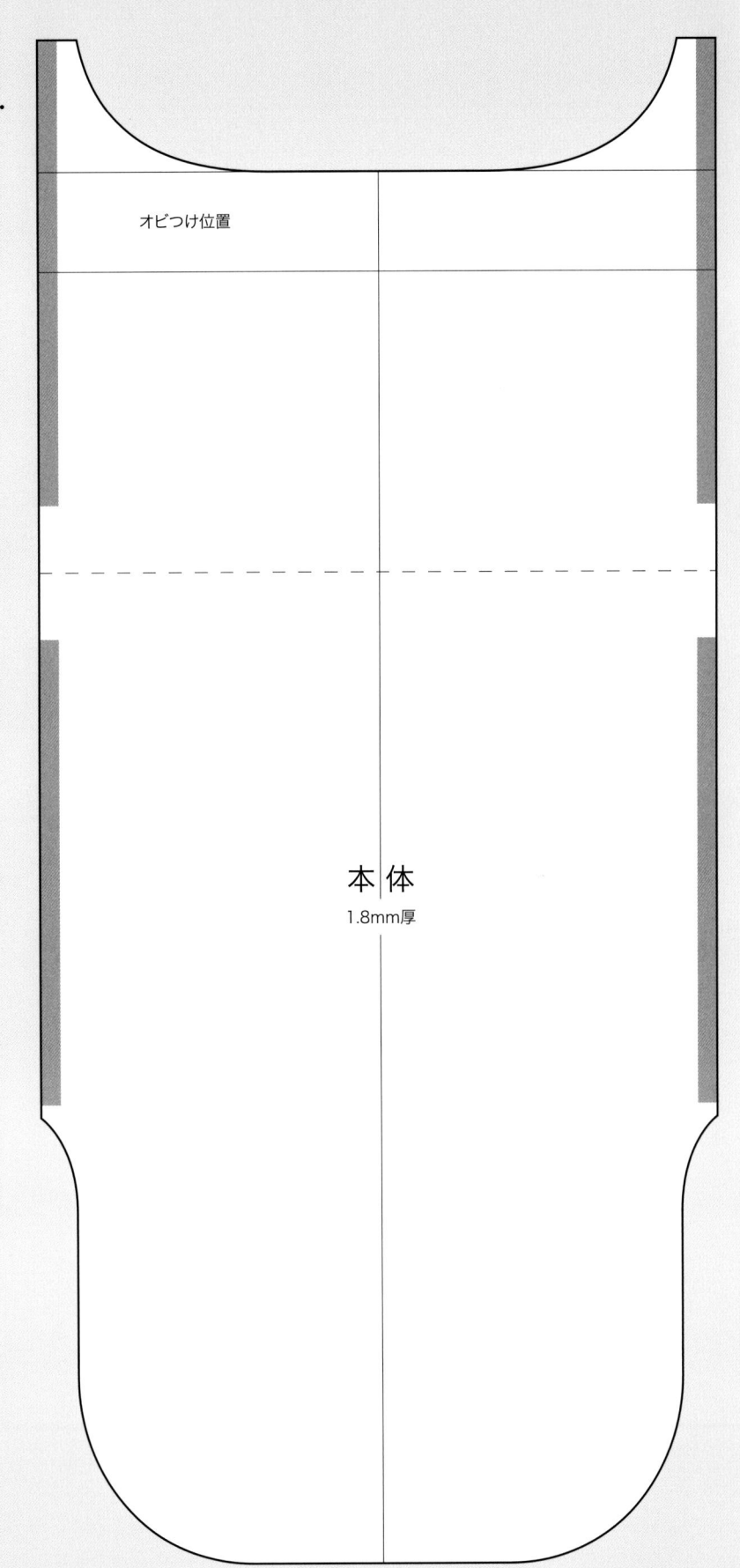

オビつけ位置

本体
1.8mm厚

組み立て Assembly

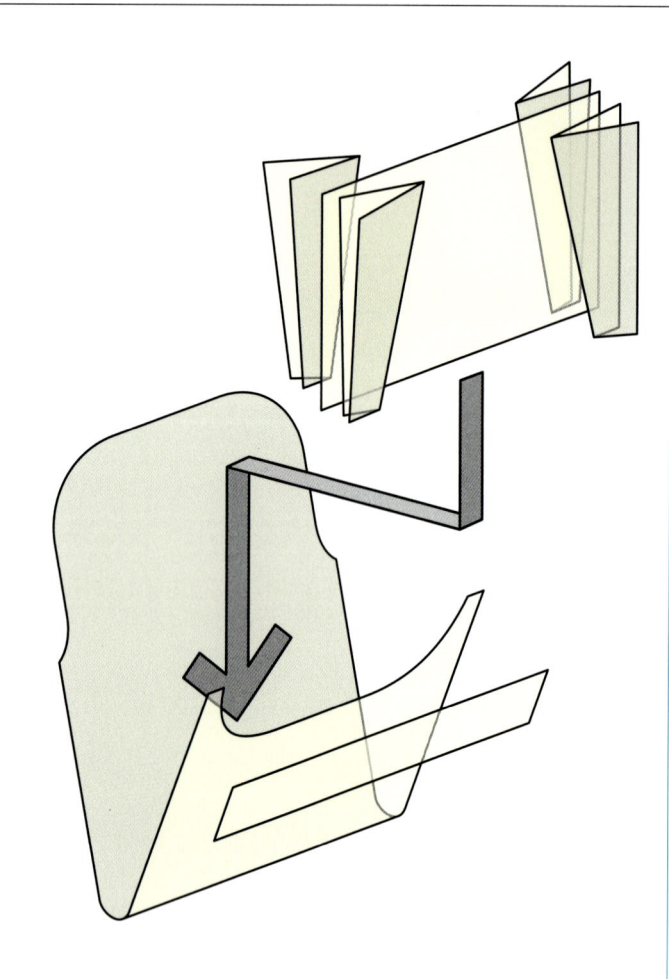

手 順

① マチは4枚ともギン面を内側にしてたたみ、センターで折り目をつけておく。

② 仕切りの両サイドに4枚のマチの端を貼りつけ、縫い合わせる。

③ 本体の「オビつけ位置」に、オビをやや浮かせて貼りつける。

Check! オビは、カブセを差し込むための隙間を設けて取りつける。また、オビの型紙は少し長めにしてあるので、調節しながら貼りつけ、余った分は切り落とす。

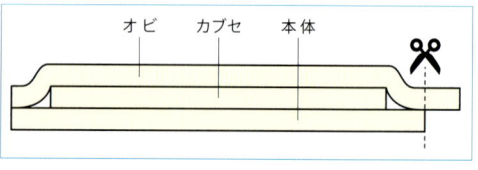

④ 本体を折り線でたたみ、間に仕切りを差し入れる。マチの端と本体のノリ代を貼り合わせる。

⑤ 本体の両サイドをそれぞれ、マチ・オビとともに縫い合わせる。

完 成！

Advice

蛇腹状のササマチは、収納時に折りたたまれていて、使用するときだけ扇のように大きく開くため、非常に機能的です。いろいろなアイテムに応用できるため、覚えておくと便利です。

マチの幅を変えれば開き具合を調整できます。左右対称で作る必要があるので、少しだけややこしいですが、紙などで試しに作り微調整すれば良いでしょう。革を選ぶ際は、開閉に合わせてマチだけがスムーズに可動するように、本体よりも薄手の革を使うことをおすすめします。

フタはオビにカブセを差し込んで留めるスタイルなので、差し込み具合がきつすぎず緩すぎず、ちょうど良い抵抗になるように心がけて作ると良いでしょう。

V gusset card case

Split leather gusset card case

トコマチ カードケース

ササマチのように開口部が大きく開くわけではないが、中のスペースが直角に区切られ整った形になるので、名刺の端がピシッと揃った状態で収納できる

細長くカットした床革を挟み込んで作る、
一風変わったスタイルのマチです。
厚めのコバを美しく磨いて仕上げれば、
デザイン上のアクセントになりインパクトも絶大。
名刺が中でバラバラにならないため、
きっちり派の方にオススメしたいアイテム。

型紙 Pattern

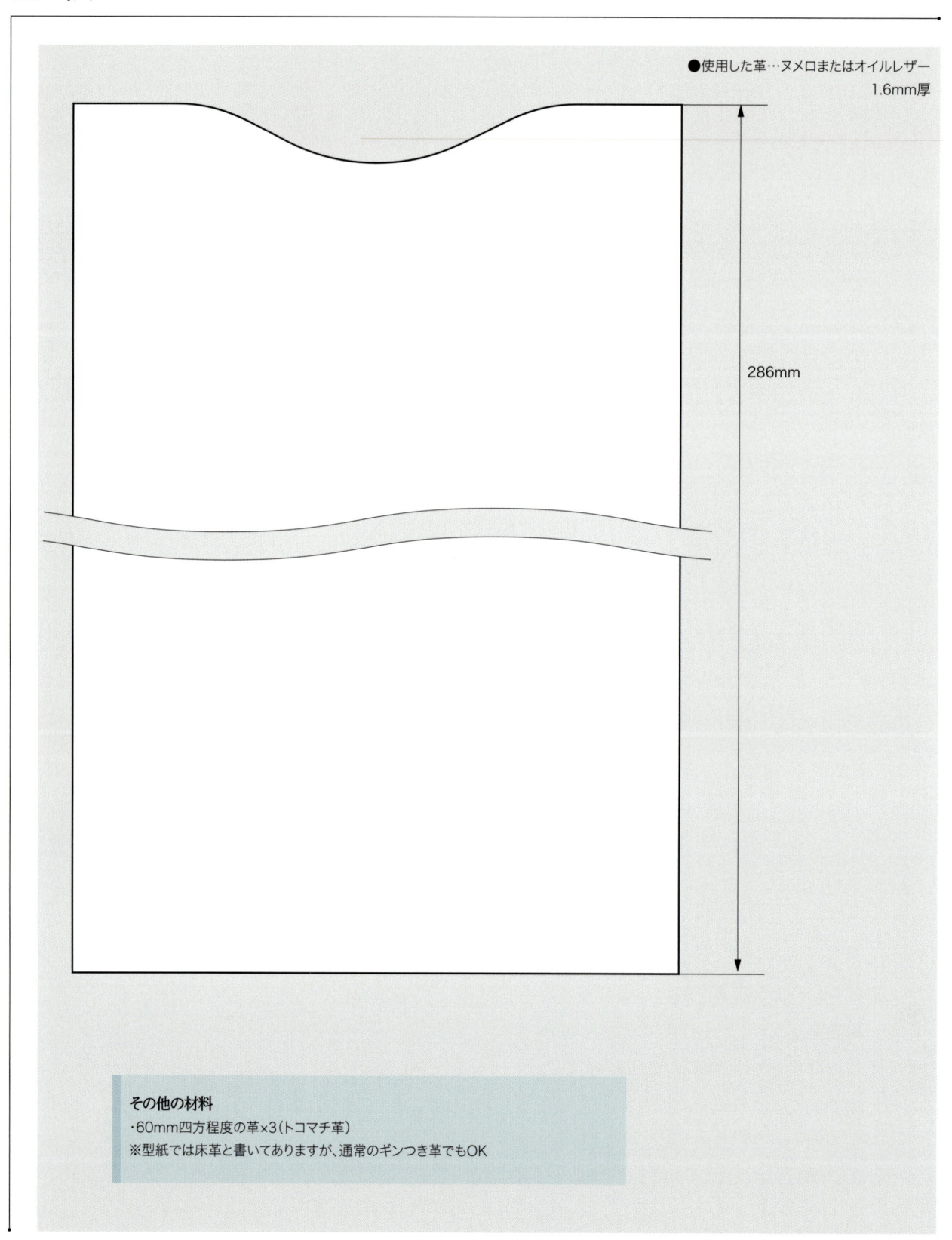

●使用した革…ヌメ口またはオイルレザー 1.6mm厚

286mm

その他の材料
・60mm四方程度の革×3（トコマチ革）
※型紙では床革と書いてありますが、通常のギンつき革でもOK

組み立て Assembly

手順

① トコマチ革のギン面を全て荒らし、ノリ代を作る。

② トコマチ革を3枚重ねて貼り合わせ、ローラーで圧着する。

Check! 1ヵ所の角をぴったり揃えて貼り合わせると、最初の切り出しが楽になる。

Check! 重ねる革の色を変えると、トコマチがデザイン上のアクセントになる。

③ 貼り合わせたトコマチ革を、8mm巾程度の短冊状に切り出す。

④ 短冊状に切り出したトコマチ革の片端、本体で挟む平面の角を紙ヤスリ等で削り、角を落として丸く整える。

Check! ヤスリで削ることで革が毛羽立ち、この毛羽が貼り合わせたときにすき間を埋める。カッターなどで切り落とすと、カーブに本体が沿いきらず、すき間ができやすい。

⑤ 本体開口部、中央を凹ませた側の両端にトコマチの角を落としていない端を合わせ、それぞれのコバをぴったり揃えて貼り合わせる。

⑥ トコマチの角を落とした端の部分で本体を折り返し、トコマチの反対側を貼り合わせる。

Check! トコマチの角を落とした部分にも接着剤を塗る。

⑦ 貼り合わせた箇所を、ローラーでしっかりと圧着する。

⑧ 本体の側面、トコマチを貼り合わせた開口部から30mm程の位置に印をつける。

Check! 印をつける位置は本体反対側の開口部となり、この印と先に貼り合わせたトコマチとの中心が折り返し点となる。トコマチの厚み変える場合は、このことを考慮して印をつける位置を調整する。

⑨ 印をつけた位置にトコマチの角を落としていない端を合わせ、それぞれのコバをぴったり揃えて貼り合わせる。

⑩ トコマチの角を落とした端の部分で本体を折り返し、本体反対側開口部の余分を裁ち落とす。

⑪ トコマチの反対側を貼り合わせる。

⑫ 本体内側の開口部、トコマチよりひと目外した箇所を基点に底へ向けてアタリをつけ、トコマチ1～2枚を貫通する程度に縫い穴をあける。

⑬ 開口部のトコマチのキワ、本体革1枚の部分に仕立て用目打ちで穴をあける。

⑭ 本体を返し、⑬であけた穴を基点にして、底へ向けて⑫と同じ位置に穴をあける。

⑮ 本体革1枚の折り返し部に、それぞれの開口部をつなぐ縫い穴をあける。

Check! この縫い穴は飾り縫いなので、好みにより省略しても良い。

⑯ 開口部の段のみ、強度を保たせるために目を重ねて縫い合わせる。

Check! 糸を始末する箇所は、跡が目立たないように何れかの底、内側とする。

完 成！

組み立て **Assembly**

Point 1
トコマチの切り出し

本体側面のマチとなるトコマチ革は、3枚の革を重ねて貼り合わせ、同巾に切り出して製作します。

60mm四方程度の革を3枚用意し、これを重ねて貼り合わせ、トコマチにする。コバ磨きをするため、これが可能なヌメ革を用意する

01 ギンつき革を使っている場合は、全ての革のギン面を荒らし、接着剤で貼り合わせて圧着する

02 貼り合わせたトコマチ革を、8mm程度の巾で短冊状に切り出す

Point 2
トコマチの貼り合わせ

短冊状に切り出したトコマチは、その片端、折り返し部の角を軽く落とし、開口部側を凹ませた側の本体端に揃えて貼り合わせます。

01 トコマチの片端、貼り合わせる面（層になっていない面）の角を、400番の紙ヤスリで軽く落とす

02 本体開口部、中央を凹ませた側の両端に、トコマチの角を落としていない端を合わせ、コバを揃えて貼り合わせる。トコマチの反対端、角を落とした箇所と反対側の接着面に接着剤を塗る

03 本体の折り返し部を、トコマチの角を落とした端へ密着させて折り返し、反対側の接着面をコバを揃えて貼り合わせる

Point 3

反対側の貼り合わせと、縫い穴あけ

本体、反対端の余分を裁ち落として残るトコマチ側面を貼り合わせ、各面に縫い穴をあけます。

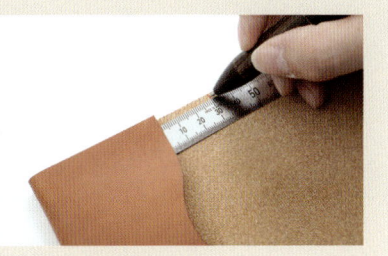

01 本体の側面、トコマチを貼り合わせた開口部から30mm程の位置に印をつける

02 印位置にトコマチの角を落としていない端を合わせて貼り合わせる。折り返し部で本体を折り返し、開口部側の余分を裁ち落とす

03 折り返し部を含め、反対側の接着面を貼り合わせる

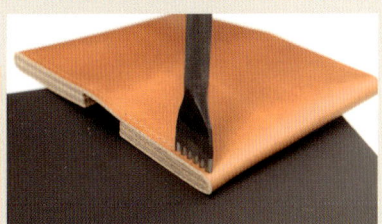

04 内側の開口部端よりひと目外した箇所から底へ向けて縫い穴をあけ（貫通させない）、開口部端は仕立て用目打ちで穴をあける（中写真）。開口部端にあけた穴を基点に、外側からも菱目打ちを打って穴を貫通させる。菱目打ちを打つときは、垂直を特に心がける。革が厚い分、穴が曲がると糸目の乱れに影響しやすい

Advice 縫製時のポイント

トコマチを縫い合わせる際、内側と外側からあけた穴が貫通していない場合は、ひしきりで穴を貫通させながら縫い合わせます。また、革の厚みがあって針を抜きづらいため、ヤットコ等を使用して針を抜くようにすると良いでしょう。

Advice トコマチの応用

直前の「ササマチカードケース」の構造を少し変え（本体の底部を切り分ける）、ササマチの部分にトコマチを用いれば、下写真のようなカードケースを仕立てることができます。

Split leather gussett card case

Side gusset pen case
横マチペンケース

84

胴の左右に別体のマチを取り付けるスタイル。
スタンダードで作りやすいのが特徴です。
機能性も申し分ないので、
迷ったらこれにすれば間違いありません。
ファスナーの仕上げにポイントがあるので、
はじめての方は順を追って丁寧に仕上げてください。

両サイドのマチが独立したパーツで、胴と底がひとつなぎ
の一体パーツになっているのが「横マチ」の特徴

型紙 Pattern

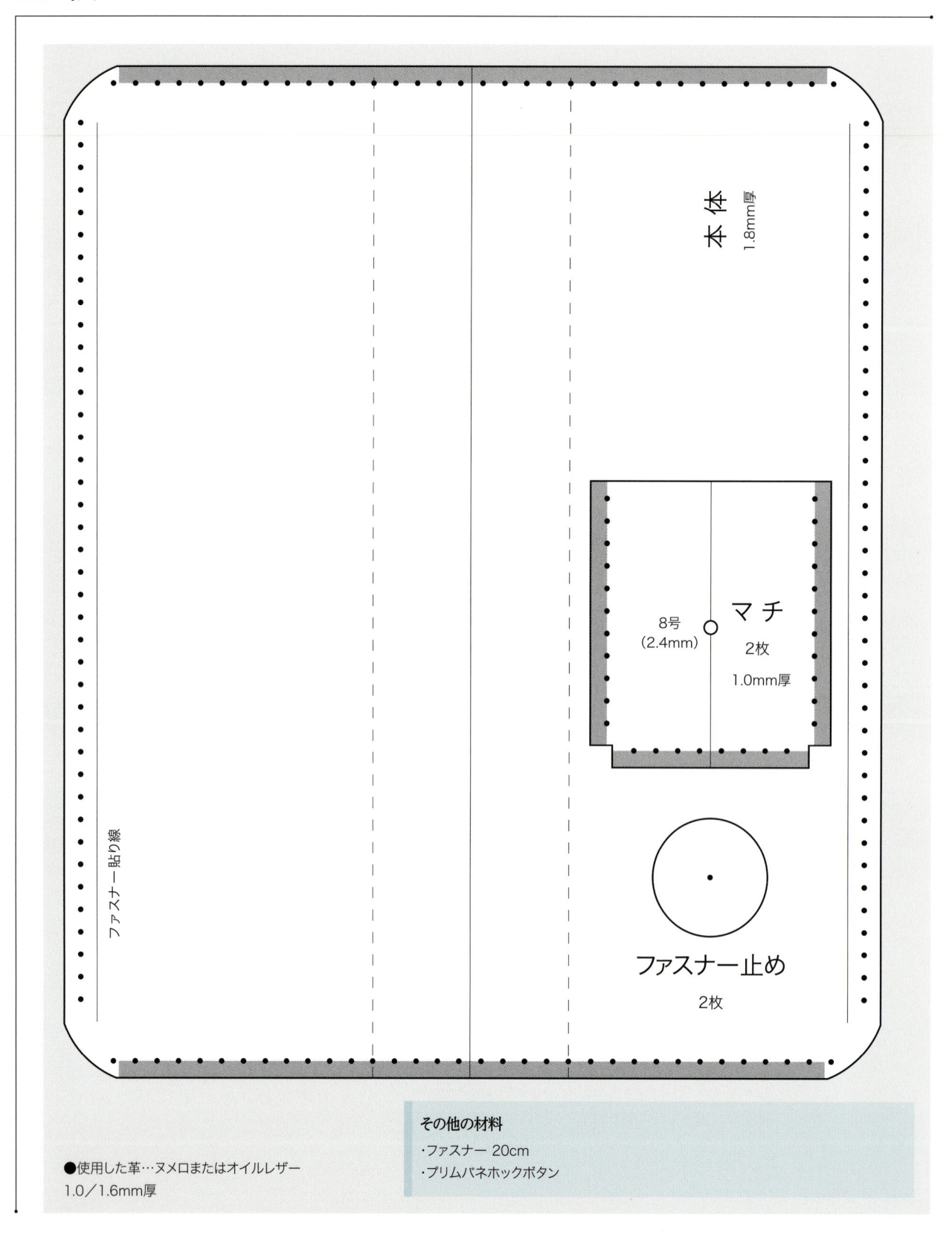

本体
1.8mm厚

マチ
2枚
8号
(2.4mm)
1.0mm厚

ファスナー止め
2枚

ファスナー貼り線

● 使用した革…ヌメロまたはオイルレザー
1.0／1.6mm厚

その他の材料
・ファスナー 20cm
・プリムバネホックボタン

組み立て Assembly

Side gusset pen case

手順

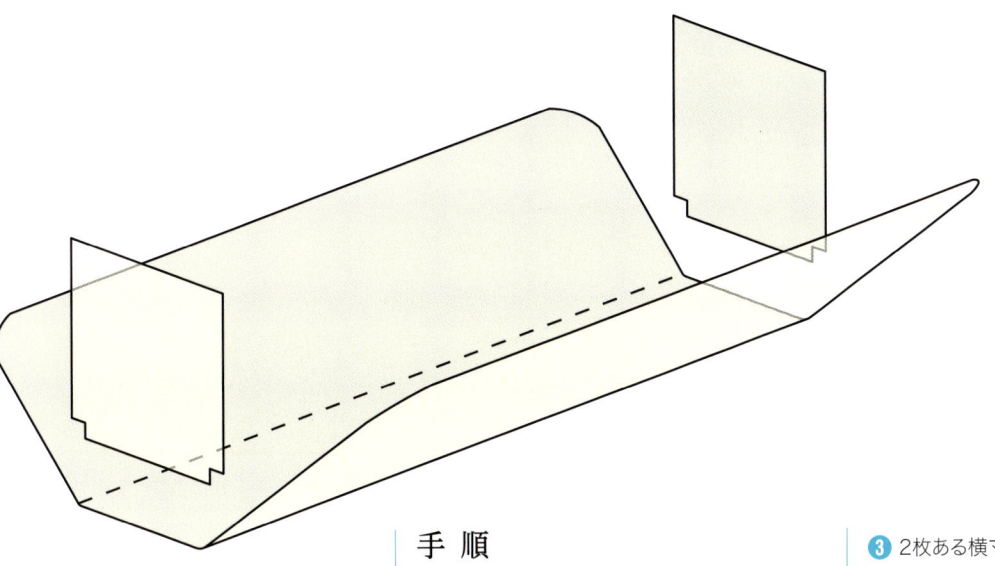

① ファスナーテープの上止め側（閉めたときのスライダー側）の端は、折り返して処理しておく（p.45「ファスナーの処理」参照）。

② 下止め側の端にはファスナー止めを縫いつけ、バネホックボタンのバネを取りつけておく（「Point 1 ファスナー止め取りつけ」参照）。

Check! ファスナー止めは、カッターなどで切り出すよりも、70号（21mm）のハトメ抜きを使って打ち抜くと簡単。

③ 2枚ある横マチの一方にのみ、バネホックのゲンコを取りつける。位置は型紙を参照する。

④ 本体の4辺に、横マチ・ファスナーと縫い合わせるための縫い穴をあける。横マチの3辺に、本体と縫い合わせるための縫い穴をあける。

Check! 本書の型紙には、4mm巾の菱目打ちを使った場合の穴位置を記してある。4mm巾以外を使うときは、基点となる折り目と端の穴の位置だけ揃え、調整しながら穴をあける。

⑤ 本体の床面にファスナー貼り線を写す。

⑥ ファスナーの両サイド（テープの端）に2mm巾の両面テープを貼り、本体の貼り線に合わせて貼りつける。このとき、ファスナーの上止め側の端と本体の縫い線の端を揃える。

Check! 「ファスナー止め」を縫いつけた下止め側は、本体から出っ張る。

⑦ 本体とファスナーの両サイドを縫い合わせる。

⑧ 本体と横マチのノリ代を貼り合わせる。

Check! あらかじめあけてある穴の位置を揃えて貼る。両パーツの対応する穴に針を通しながら貼りつけると、ずれにくくなる。

⑨ 本体と横マチを縫い合わせる。

完成！

Advice

横マチペンケースで少しコツが必要なのが、ファスナーの下止め（後ろ側）の処理です。開口部を大きく取るために、本体の外側までファスナーが出っ張るように取りつけます。さらに、端には丸く切ったファスナー止めを縫いつけ、ここをバネホックでマチ部分に固定し、ぶらぶらすることを防いでいます。この方法は、バッグなど他のアイテムでも使えるので、覚えておくと便利です。

マチの形を、円や三角形などにアレンジすることもできます。その場合、胴回りとマチで縫い合わせる長さを揃える必要があります。厚みやノリ代を考慮するとバランスが少し難しいので、端切れ革などで試し、微調整することをおすすめします。

組み立て Assembly

Point 1
ファスナー止め取りつけ

ファスナーの下止め側の端を折りたたんで貼り、丸い革で挟んで縫い合わせます。縫い目をきれいに仕上げてください。

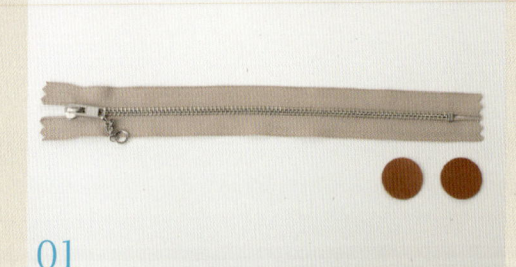

01 ファスナーは20cmのものを用意。丸い革は、70号（21mm）のハトメ抜きを使えば簡単に切り出せる

02 ファスナー止めの床面に両面テープを軽く貼り、2枚を貼り合わせる。これは仮止め

03 片面から縁に沿って3mm幅くらいの縫い線を引き、2本刃の菱目打ちを使って縫い穴をあける。穴が均等な間隔で並ぶよう、あける前に位置を吟味しておくと良い

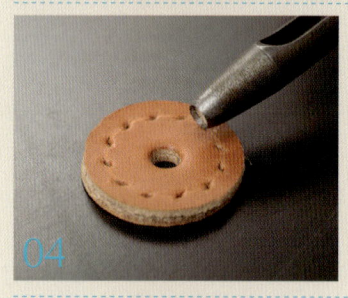

04 中心には、プリムバネホックのアタマを取りつけるための穴を、12号（3.6mm）のハトメ抜きであける

05 ファスナーテープは、金具よりも外側の範囲（裏面）にゴムのりを塗り、内側の膨らみに端を沿わせるように折りたたんで貼る

06 両サイドを折りたたんで左の写真のようにしたら、仮留めしておいたファスナー止めを少し剥がし、金具と隙間のない位置に貼りつける

07 ファスナーテープごと縫い合わせ、丸穴にプリムバネホックを取りつければ完了

Side gusset pen case

Belt gusset pen case
捨てマチペンケース

捨てマチという個性的なテクニックを使う、
ユニークな形のペンケース。
コロコロとしたフォルムが特徴的。
オビ状のパーツを挟んで内縫い風に仕上げるので、
やや上品な印象になります。
立体的な組み立てがポイント。

本体で口枠を包み込むような変わった構造。たっぷり収納できるので、機能性も優れている

型紙 Pattern

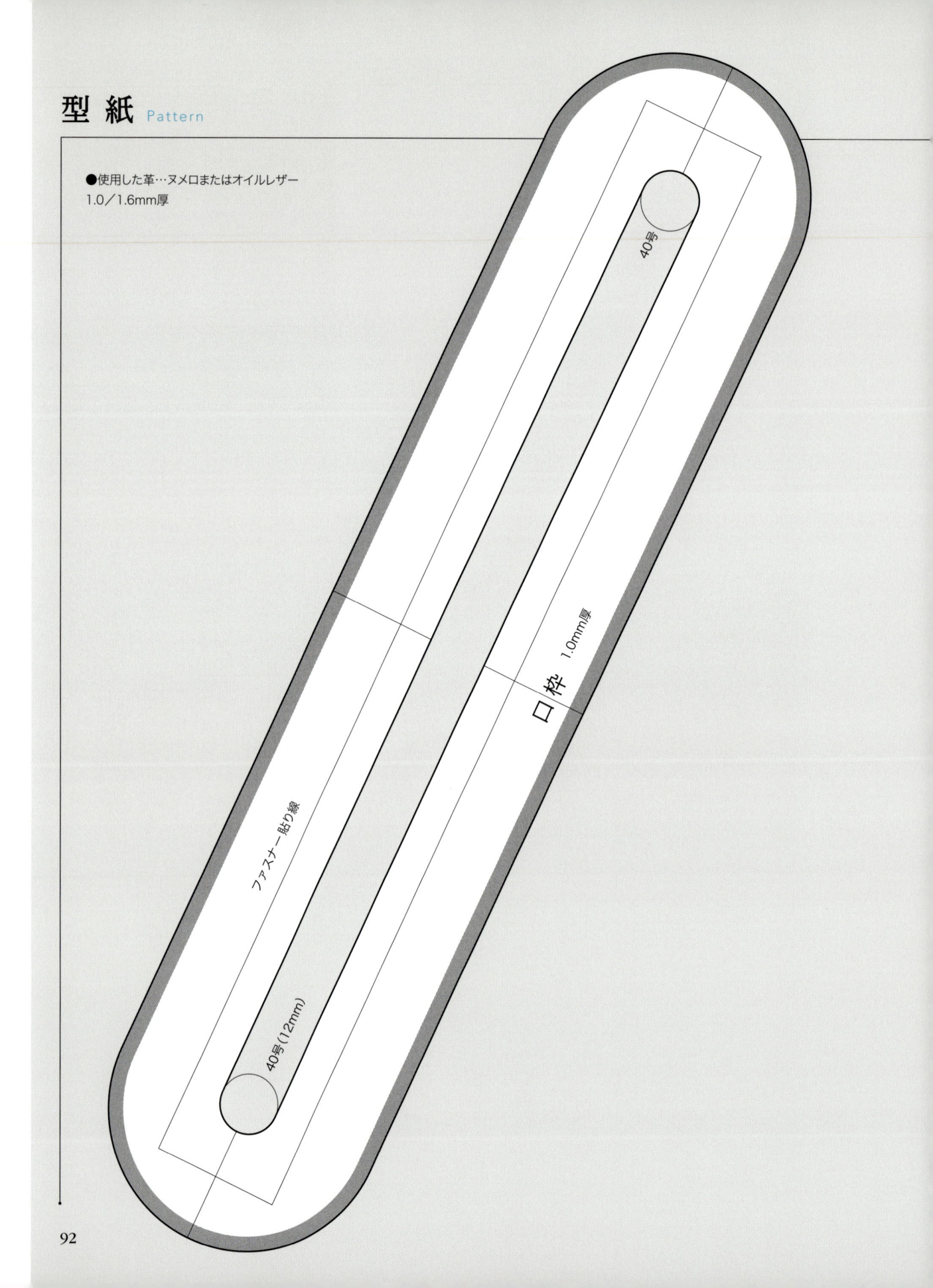

● 使用した革…ヌメロまたはオイルレザー
1.0／1.6mm厚

40号

口枠 1.0mm厚

ファスナー貼り線

40号(12mm)

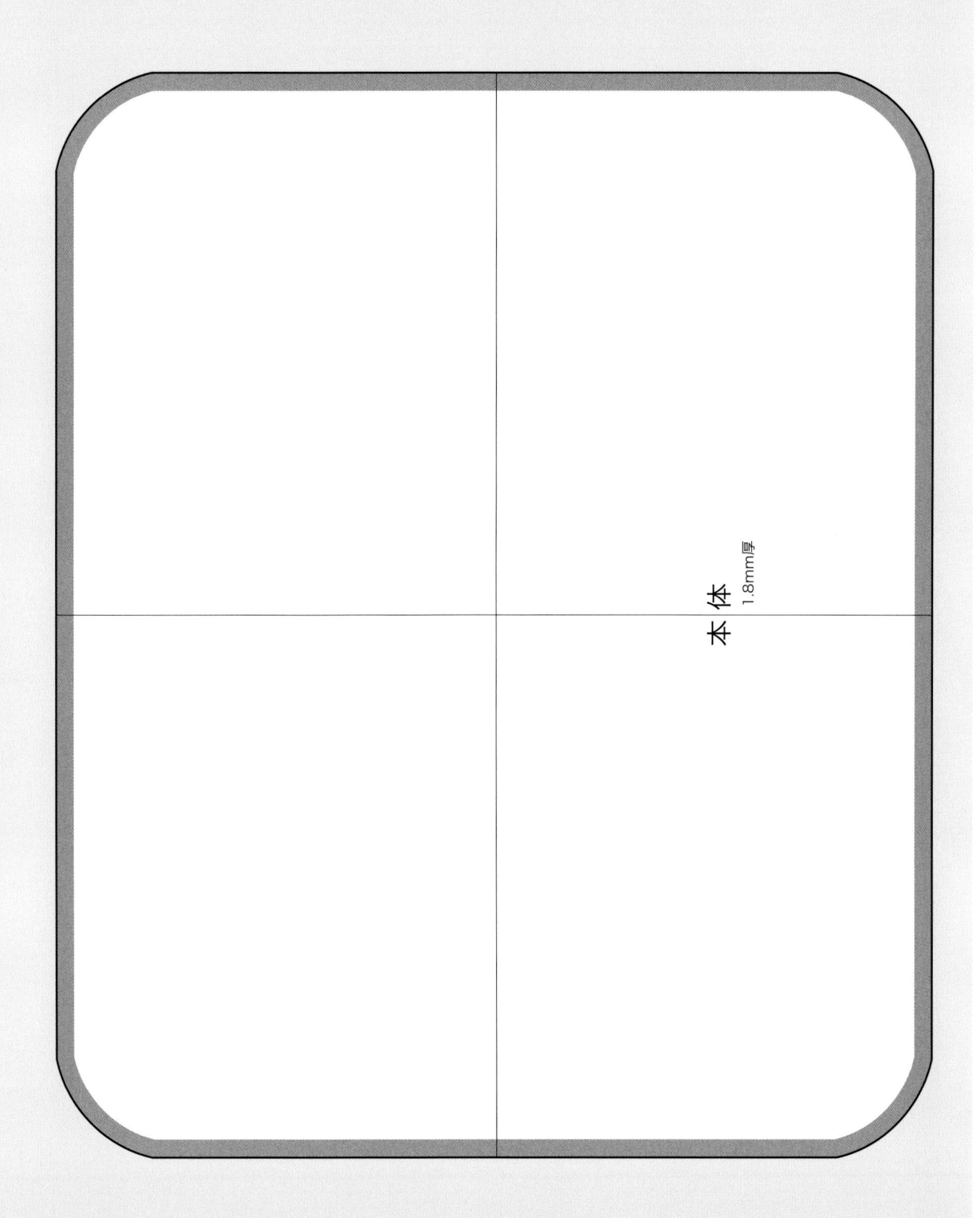

Belt gusset pen case

本体 1.8mm厚

型 紙 Pattern

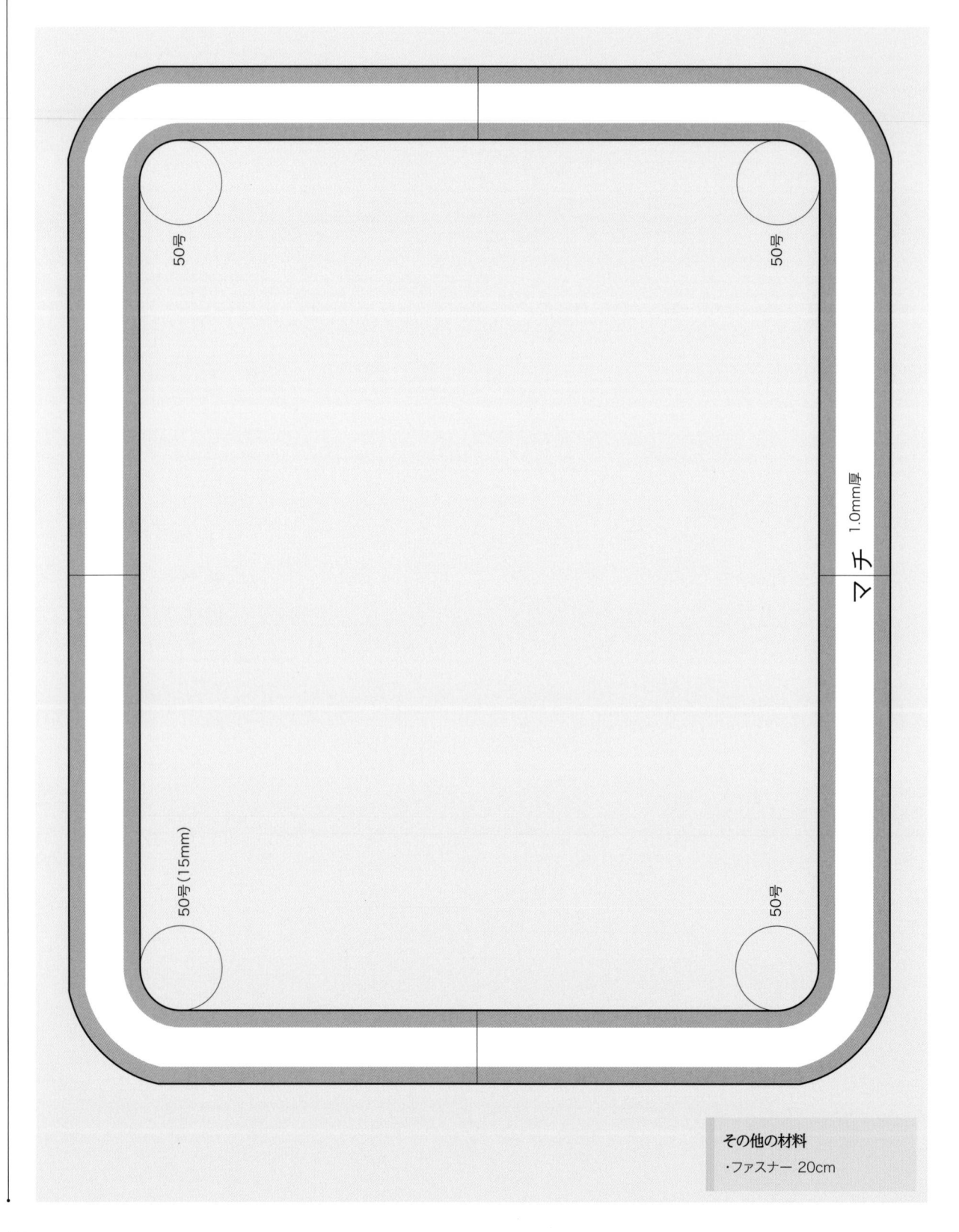

50号

50号

マチ 1.0mm厚

50号(15mm)

50号

その他の材料
・ファスナー 20cm

組み立て Assembly

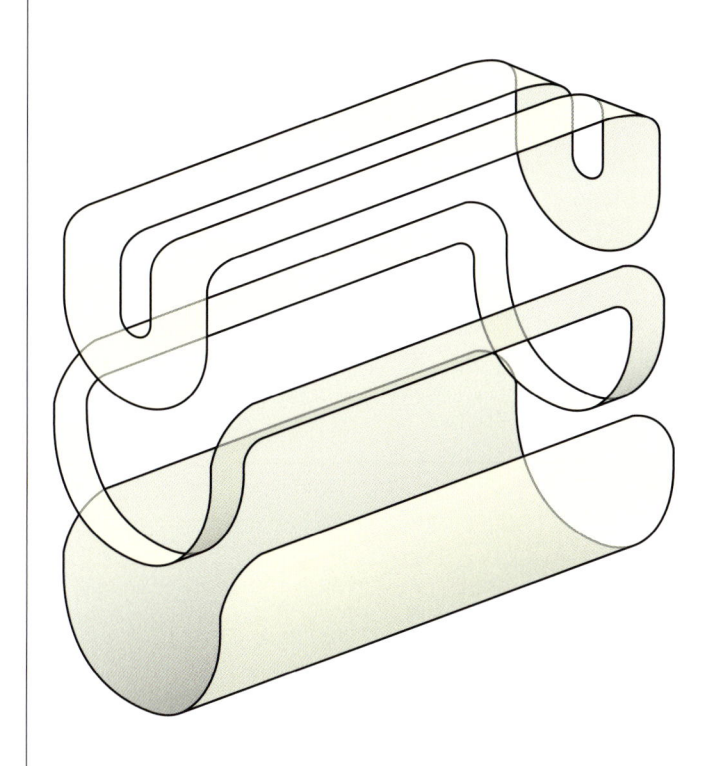

Belt gusset pen case

手 順

① 各パーツの端にセンターの印をつける。

Check! 型紙のセンターをキリなどで突いて写す。

② 口枠パーツの内側（ファスナーと縫い合わせる部分）に縫い線を引き、縫い穴をあける。

③ ファスナーテープの両端に2mm巾の両面テープを貼り、口枠パーツと貼り合わせる。

Check! ファスナー側を下に置き、口枠のスリットからバランスを見ながら貼り合わせる。

④ ファスナーと口枠を縫い合わせる。

⑤ 口枠パーツの外側と、マチパーツの内側の端を接着剤で貼り合わせる。この際、4辺それぞれのセンターから揃えて貼るようにする。

⑥ 貼り合わせた部分を縫う。

⑦ 本体とマチパーツ外側の端を貼り合わせる。

⑧ 本体の端を一周縫い合わせて完成（②～⑦までの作業は「Point 捨てマチの組み立て手順」で詳しく解説）。

完 成 ！

Advice

　パーツを曲げながら立体的に組み立てる捨てマチペンケースは、左右対称に貼らないと全体が歪んでしまいます。型紙のセンターラインを目打ちなどで突いて小さな印をパーツに写し、常にその位置を合わせながら作業してください。特にカーブの部分はどこも同じようなフォルムに仕上がるように注意しましょう。

　やや本格的な仕上がりを目指したい方は、裏地をつけてはいかがでしょうか。本体と口枠のパーツに、あらかじめ薄手の革を貼っておくだけです。しなやかなピッグスエードなどがおすすめです。

組み立て Assembly

Point

捨てマチ組み立ての手順

捨てマチペンケースを組み立てる手順は少し複雑なので、写真で詳しく解説します。センターを合わせながら貼るのがコツです。

01 口枠の内側と外側の縁すべてに縫い線を引き、内側にのみ一周縫い穴をあける

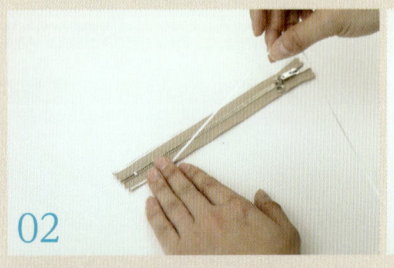

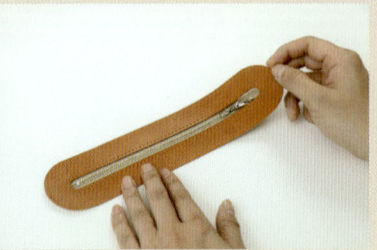

02 ファスナーの両サイド、一番外側に2mm幅の両面テープを貼る。ファスナーを下にまっすぐ伸ばして置き、口枠を置きながら貼り合わせる。ファスナーが左右に偏らないようチェックしながら作業すること

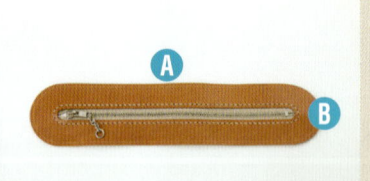

03 あらかじめあけておいた縫い穴を縫い、ファスナーを取りつける。縫いはじめの位置を中央 A にすると耐久性が良いが、つなぎ目を目立たせたくない場合は、端 B にする。

04 マチパーツの内側と外側、及び本体パーツの外側に縫い線を引く（一部の線は接着範囲を示す印として使う）

05 口枠の外側、マチパーツの内側はギン面同士を貼り合わせるので、接着剤がつきやすいよう表面を削って荒らす（縫い線の外側の範囲）

Belt gusset pen case

06

荒らした部分に接着剤を塗る

07

両サイドのセンター印周辺を、位置をしっかりと揃えて貼り合わせる

08

両端もセンター印を揃えて貼る。残りの部分も自然なカーブになるように貼り合わせる

09

マチパーツ側から一周に縫い線を引き、その上に縫い穴をあける

97

組み立て Assembly

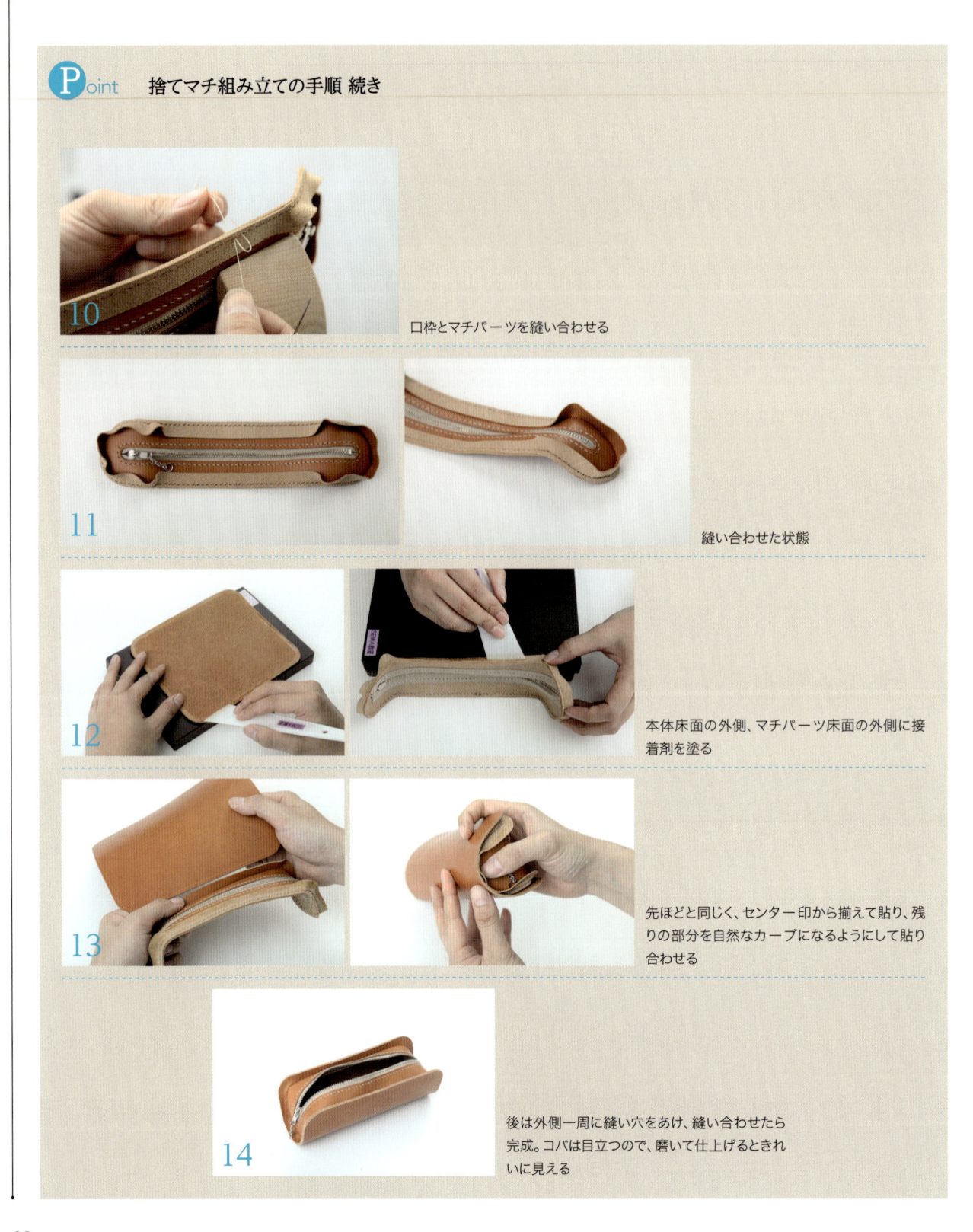

Point　捨てマチ組み立ての手順 続き

10 口枠とマチパーツを縫い合わせる

11 縫い合わせた状態

12 本体床面の外側、マチパーツ床面の外側に接着剤を塗る

13 先ほどと同じく、センター印から揃えて貼り、残りの部分を自然なカーブになるようにして貼り合わせる

14 後は外側一周に縫い穴をあけ、縫い合わせたら完成。コバは目立つので、磨いて仕上げるときれいに見える

98

Belt gusset pen case

One-piece gusset pouch

通しマチポーチ

丸っこいフォルムが活きた、女性に好まれそうなデザイン。カブセは内側に取り付けたマグネットで留めるタイプ。マグネットのツメを隠すために縫いつけた当て革も良い味を出す

胴の端から反対側の端まで、
横に貫くひとつながりの「通しマチ」。
小物入れやクラッチバッグなど、
使い道が多そうなポーチを作ります。
カブセと背胴を別の色で切り返し、
印象的なツートーンに仕上げました。

型 紙 Pattern

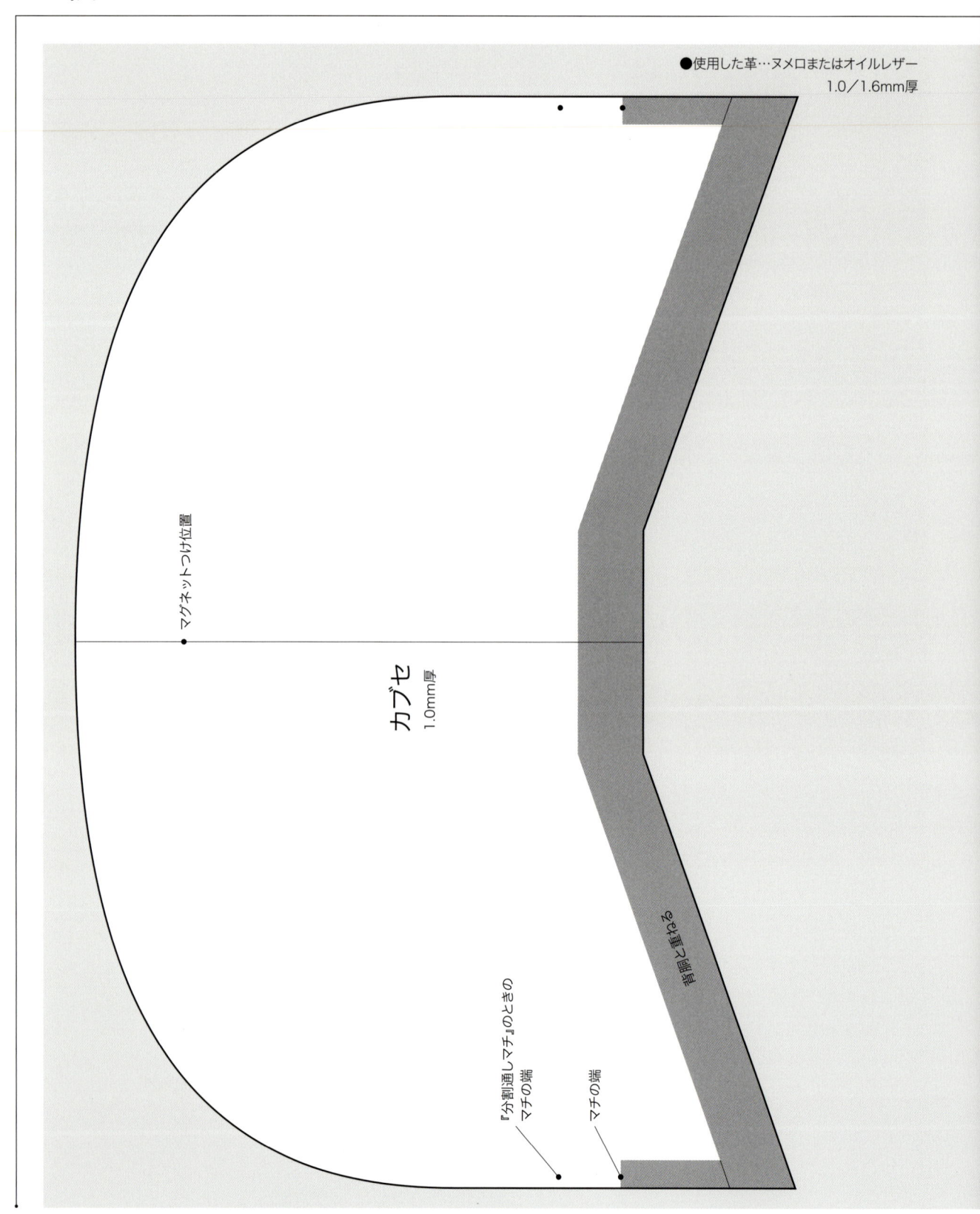

●使用した革…ヌメロまたはオイルレザー
1.0／1.6mm厚

カブセ
1.0mm厚

マグネットつけ位置

『分割通しマチ』のときの
マチの端
マチの端

背面で重ねる

背胴
1.8mm厚

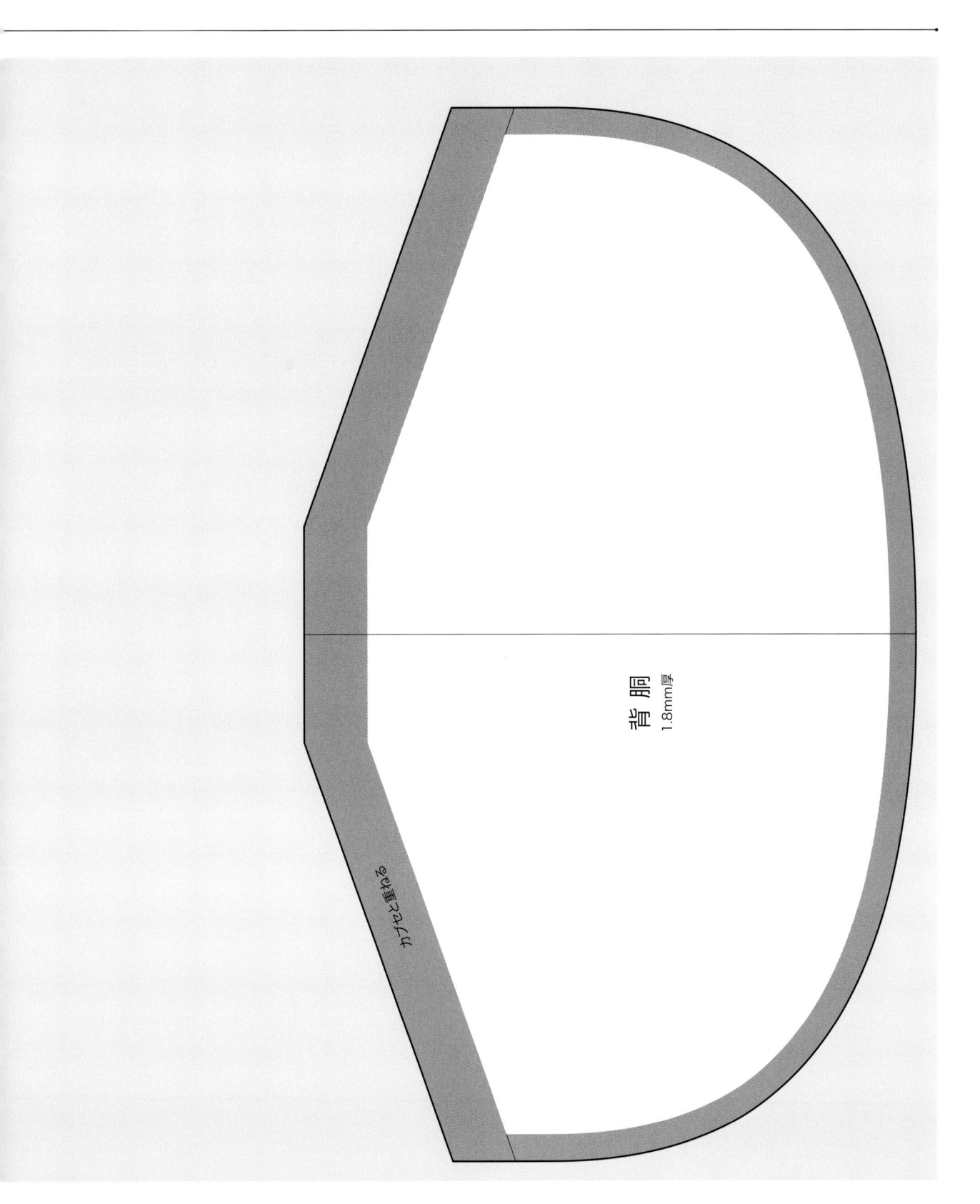

かぶせ重なる

One-piece gusset pouch

型 紙 Pattern

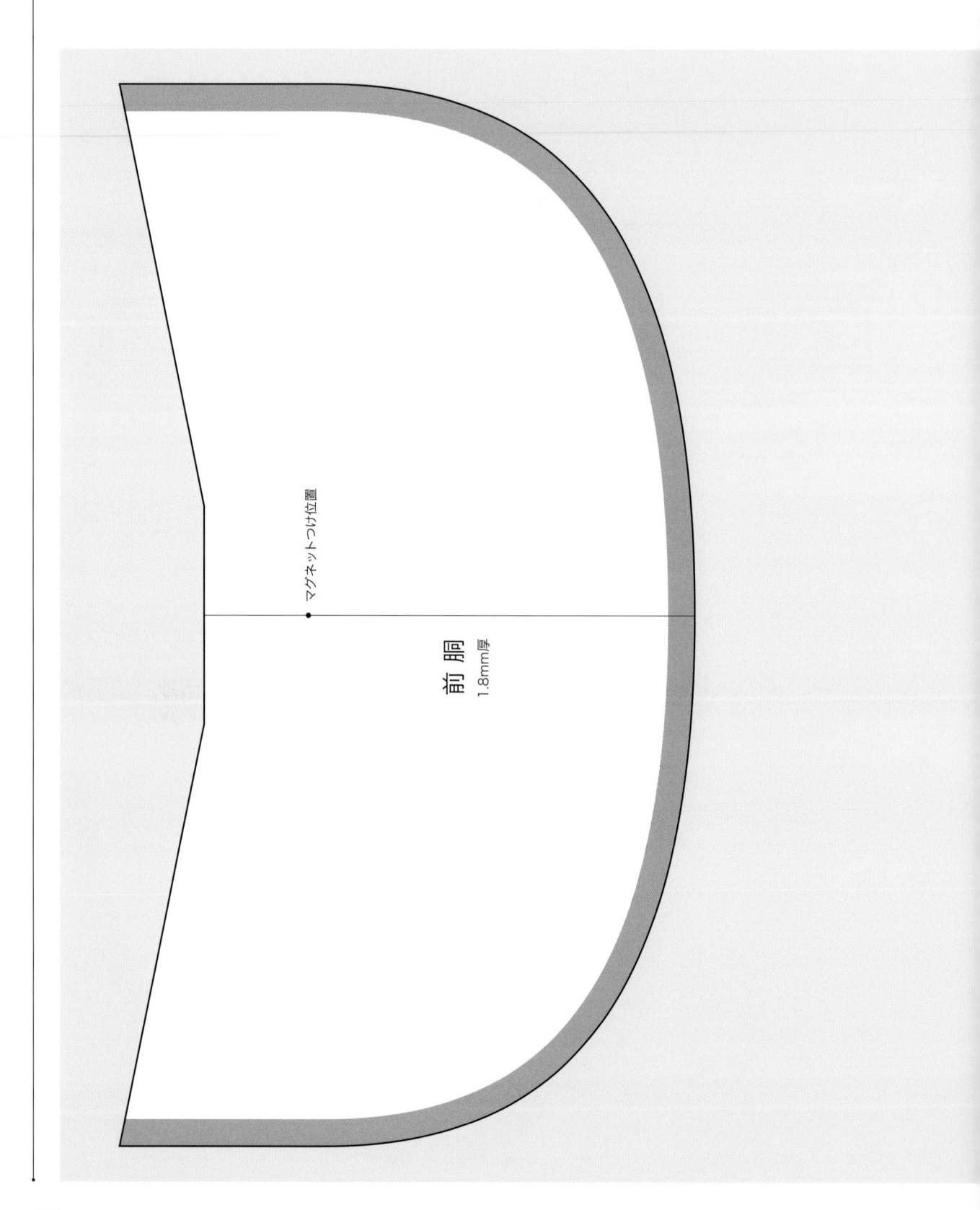

前 胴 1.8mm厚

マグネットつけ位置

104

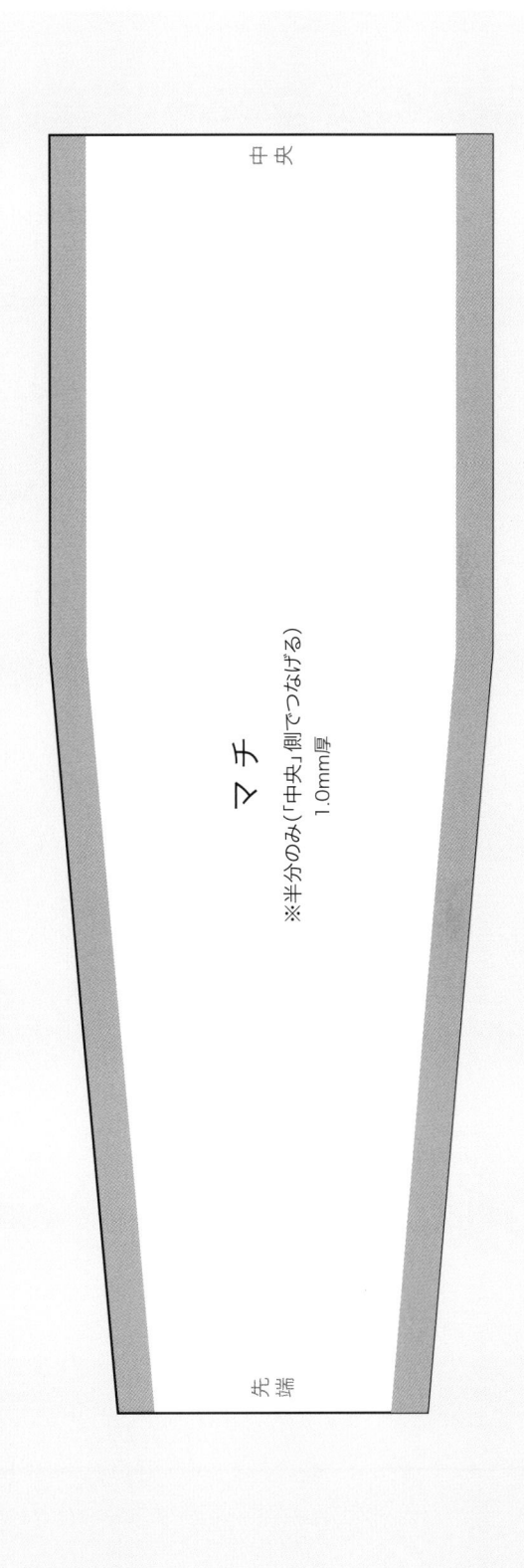

One-piece gusset pouch

マチ
※半分のみ(「中央」側でつなげる)
1.0mm厚

中央

先端

その他の材料
・マグネット
・丸革(マグネットよりひと回り大きく切り出す)

組み立て Assembly

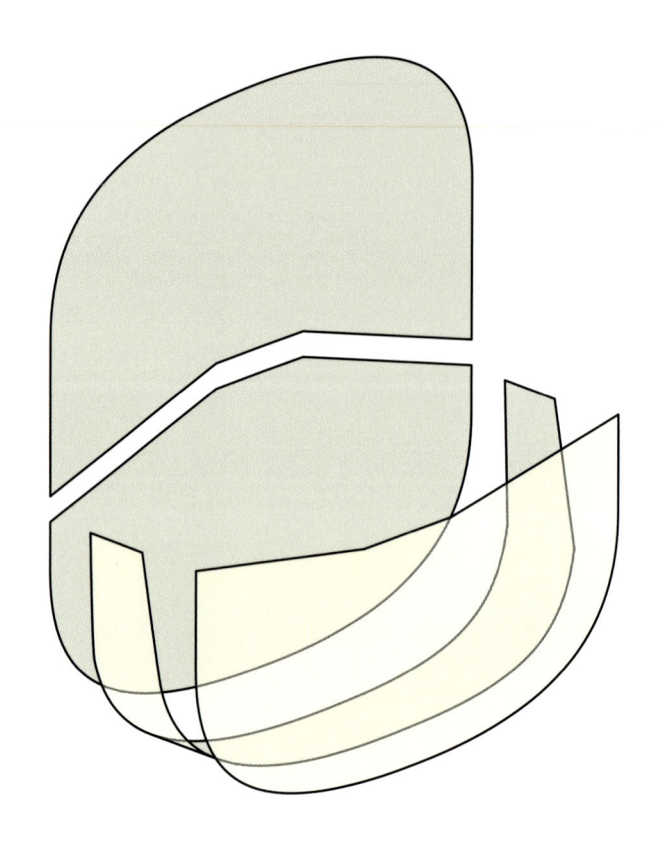

手 順

1. カブセに背胴を重ねて貼り合わせ、背胴のコバから4mm程の位置を縫い合わせる。

    Check!　縫い始めと縫い終わりは、マチ側より4mm程度あけた位置とする。

2. 前胴と背胴及びマチの底側センターに、貼り合わせる際に認識しやすい合印をつける。

3. カブセの床面に型紙を合わせ、マチの開口部側、貼り合わせ位置の印をつける。

    Check!　この印位置が、縫い始めもしくは縫い終わりとなる。

4. マチの両長辺、端から5mm程の位置に縫い線を引く。

5. マチのギン面に軽く水を含ませ、④で引いた縫い線上を折ってノリ代を立てる。

    Check!　同時にマチ全体を胴のカーブに合わせてゆるやかに曲げ、形を整えておく。

6. マチと背胴を貼り合わせる。この時は、各パーツのセンターを先に貼り合わせ、次に③でつけた印とマチの端を貼り合わせる。最後に残りの部分を貼る。

7. マチ側から④で引いた縫い線に従って縫い穴をあけ、開口部の端から端までを縫い合わせる。

8. カブセと前胴にマグネットを取りつける。

    Check!　マグネットの代わりに「ギボシ」や「差し込み錠前」等を使い、かぶせの留め方をアレンジしても良い。

9. 背胴と同様にしてマチと前胴を貼り合わせ、開口部の端から端までを縫い合わせる。

完 成 ！

One-piece gusset pouch

Point 1
カブセと背胴を縫い合わせる

カブセと背胴を先に縫い合わせ、通しマチに合わせる一体のパーツを先に仕上げておきます。

カブセと背胴を縫い合わせたパーツを作り、本体を構成する3つのパーツを揃える

Point 2
底側のセンターに合印をつける

本体とマチを貼り合わせる際の基準となる合印を、背胴と前胴及びマチのセンターにつけます。

型紙を参照し、背胴と前胴の各底側センター及び、マチ両側面のセンターに印をつける

Point 3
カブセの両サイドに合印をつける

各センターの合印に続き、マチの端の合わせ位置をカブセの両サイド、床面に記します。

カブセに型紙を合わせ、マチの端を合わせる合印を記す

107

組み立て Assembly

Point 4 マチのノリ代を立てる

各胴にマチを貼りやすくするため、マチの両サイドのノリ代を立てます。水を含ませ、しっかりした折りグセをつけておきます。

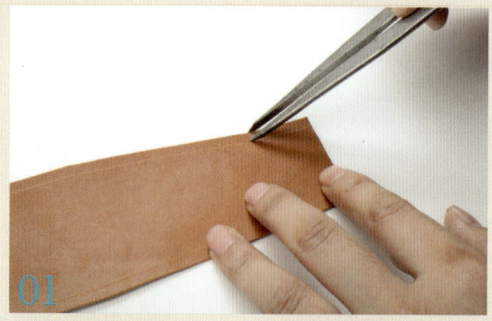

01

マチの両長辺、端から5mm程の位置に縫い線を引く

02

マチのギン面に軽く水を含ませ、縫い線を目安に両サイドをギン面側に向けて折り曲げる。定規等をあてると、きれいに折りグセがつけられる

03

マチ両サイドの折りグセは、この写真のような状態になるまでつける

Point 5 マチと背胴を貼り合わせる

マチと背胴を貼り合わせる際は、始めに底側センターを合わせ、次に各端を合わせた上、その間の曲線部を貼り合わせます。

01

マチと背胴それぞれの底側センター、印をつけた位置を正確に揃えて貼り合わせる

02

カブセ両サイドの合印位置にマチの端を揃えて貼り合わせ、その間の曲線部を貼り合わせる

03

マチと背胴を貼り合わせた状態。前胴を貼り合わせる際も、同様にして貼り合わせる

108

Point 6 マグネットの取りつけ方

足折り式のマグネットは、オス側とメス側共、取りつけ方は同じ。切り込みを入れて足を通し、裏座金をあてて足を折ります。

01 マグネット取りつけ位置の中心とマグネットの中心を合わせ、マグネットの足を押しつけて切り込みを入れる位置の跡をつける

02 切り込み位置の跡を目安に、カッターで革に切り込みを入れる

03 切り込みにマグネットの足を通し、裏側で裏座金を合わせる

04 足を外側に折り、木槌等でこれを押し潰して裏座金に固定する

05 マグネットを取りつけた状態

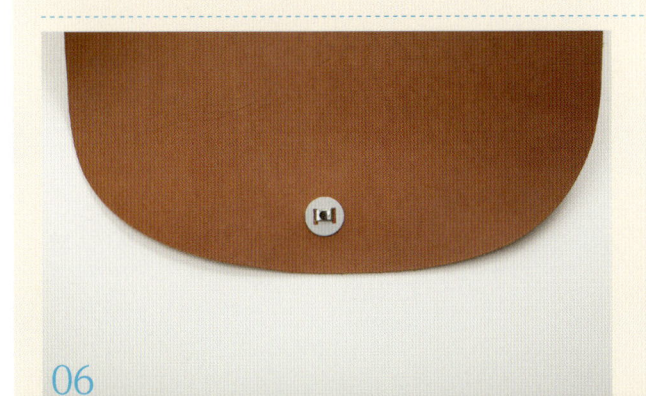

06 カブセにマグネットのオスを取りつけた状態。足を折る向きは内外どちらでもよく、ここは表で丸革を合わせるため、内側に向けて折っている

07 マグネットの裏座金を隠すため、ひと回り大きい丸革を切り出して縫い合わせる。この処理は、好みにより自由にして良い

One-piece gusset pouch

109

Divided one-piece gusset pouch
分割通しマチポーチ

通しマチとほぼ同じ構造ですが、
横マチと底マチが分割されたスタイル。
つなぎめで角がきっちりと出るので、
キリッとした表情になります。
本格的なカバンにも使われるので、
応用の幅が広いテクニックです。

前後の胴とカブセ、サイドと底を貫くマチの4つの部位からでき、留めはマグネット。通しマチポーチと同じ要素で構成されているものの、雰囲気はガラリと異なる

型 紙 Pattern

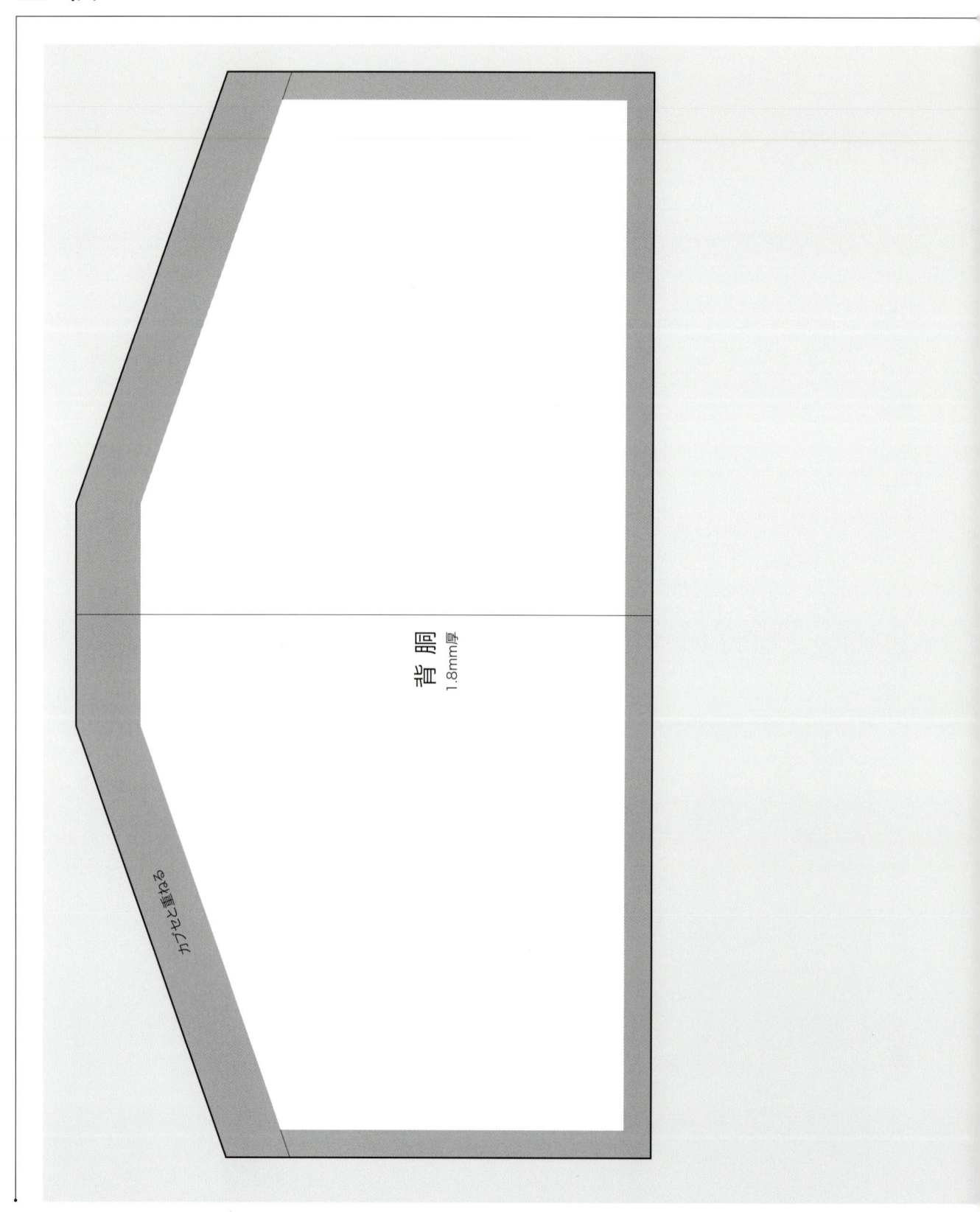

胴
1.8mm厚

カブセと重ねずに切る

112

前 胴
1.8mm厚

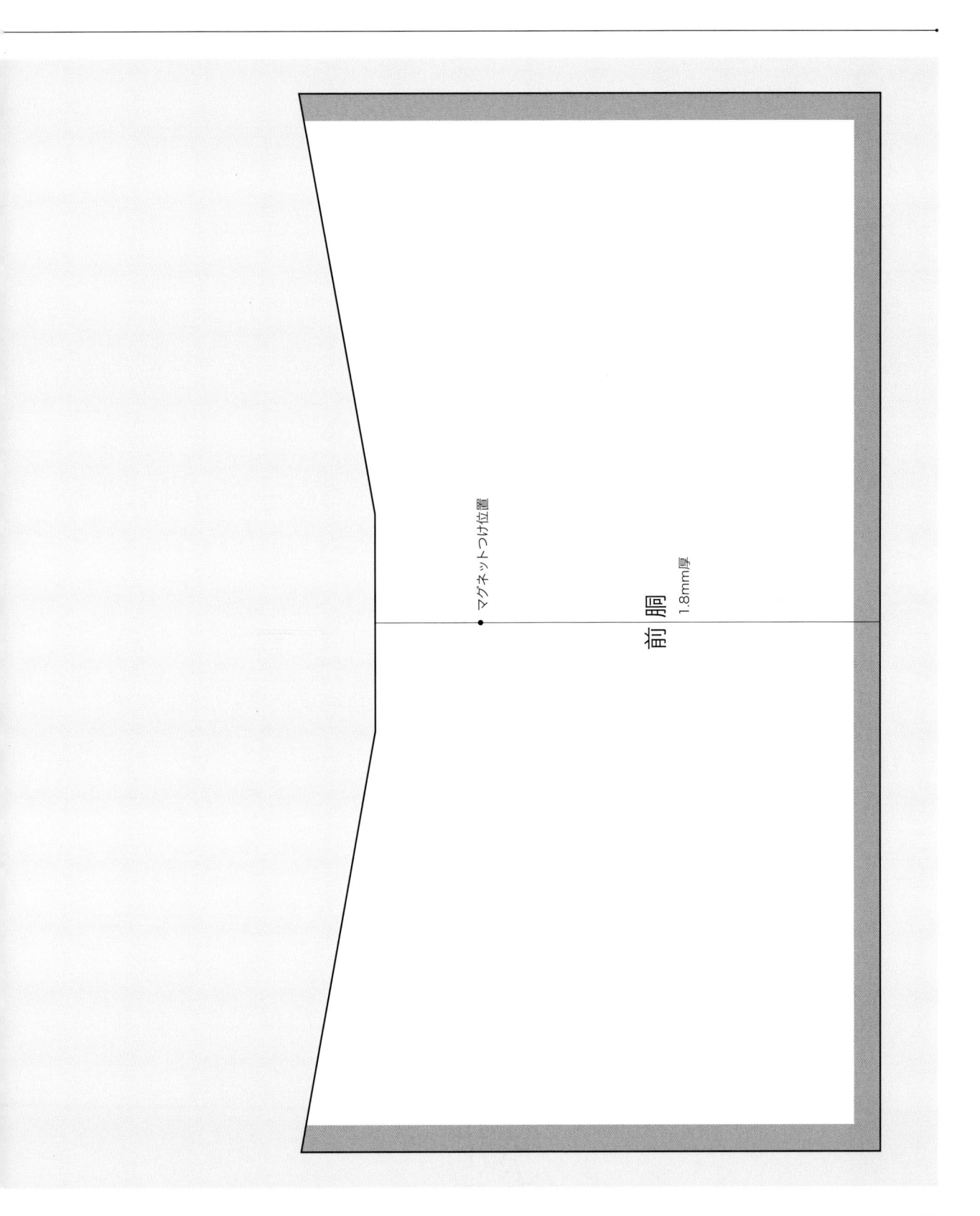

マグネットつけ位置

型 紙 Pattern

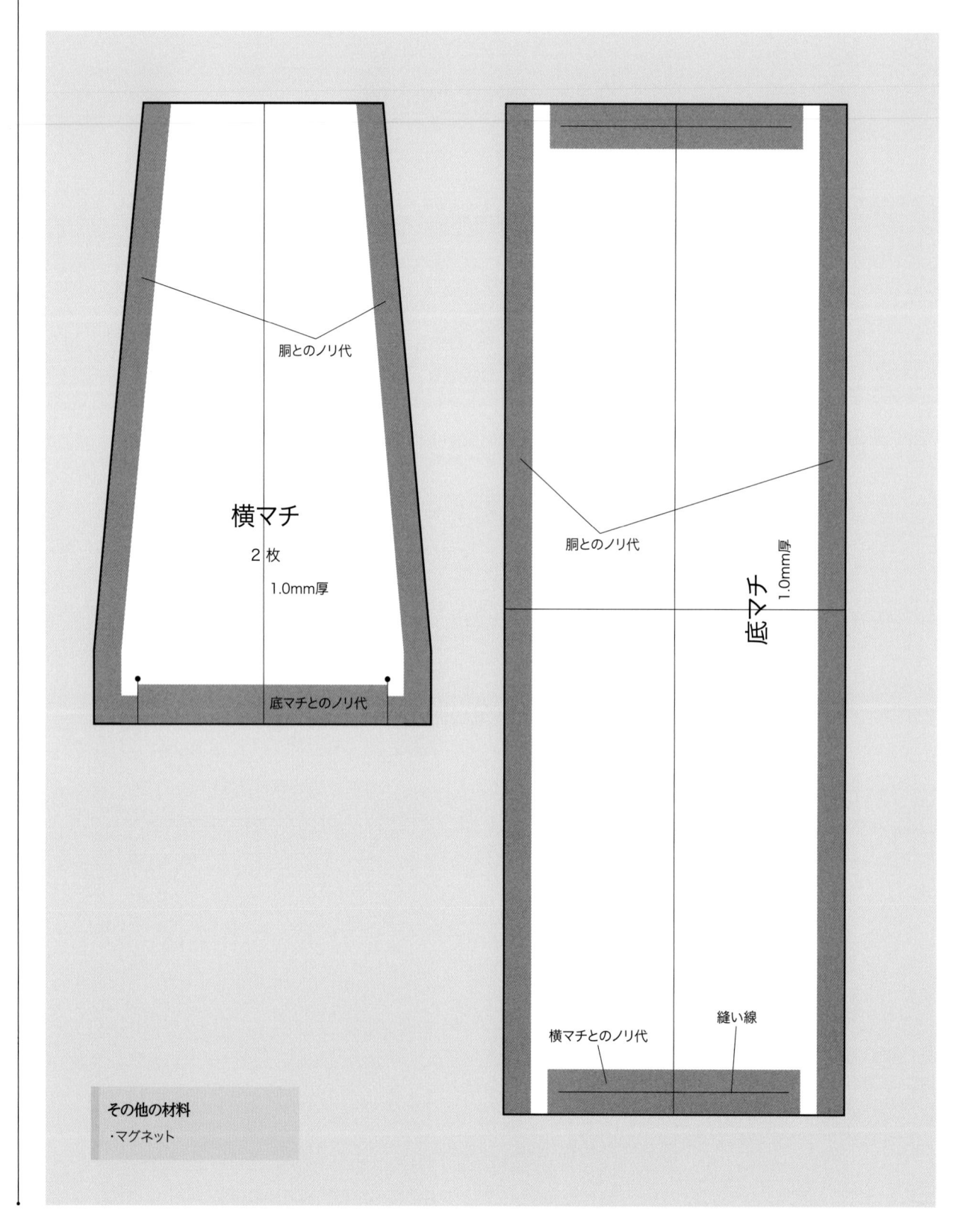

横マチ
2枚
1.0mm厚

胴とのノリ代

底マチとのノリ代

底マチ
1.0mm厚

胴とのノリ代

横マチとのノリ代

縫い線

その他の材料
・マグネット

114

組み立て Assembly

Divided one-piece gusset pouch

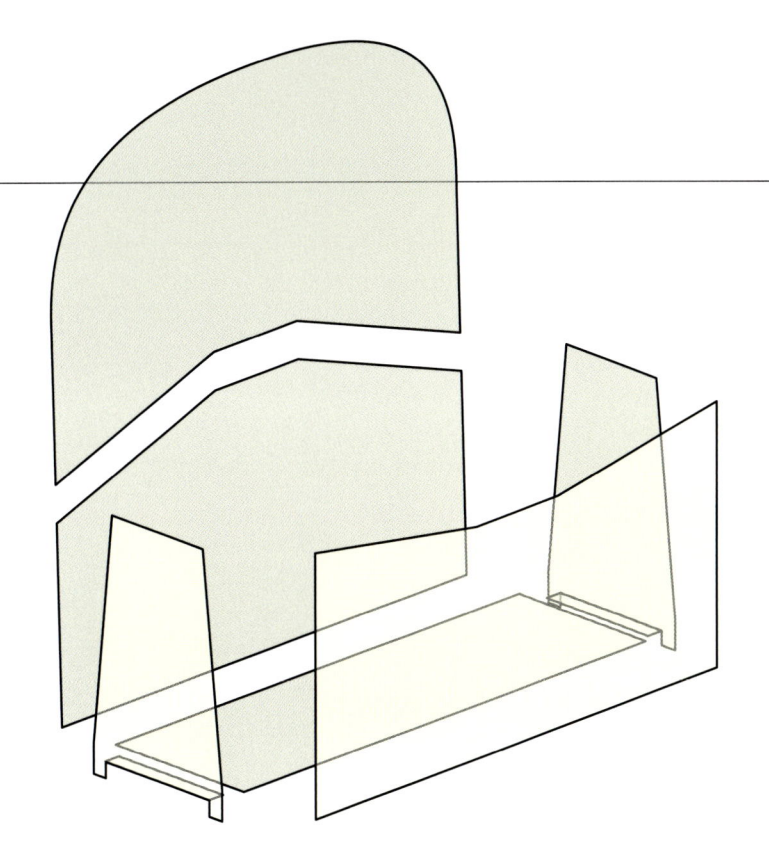

手 順

① カブセに背胴を重ねて貼り合わせ、背胴のコバから4mm程の位置を縫い合わせる。

Check! 縫い始めと縫い終わりは、マチ側より4mm程度あけた位置とする。

② カブセの床面に型紙を合わせ、マチの開口部側、貼り合わせ位置の印をつける。

Check! この印位置が、縫い始めもしくは縫い終わりとなる。

③ 横マチに型紙を合わせ、切り込みを入れる箇所を表す印を写す。

④ 底マチとつなぐ側に向け、印位置から垂直に切り込みを入れる。

⑤ 切り込みの内側、端から4mm程の範囲を荒らしてノリ代を作る。

Check! 底マチをつなぎ、折り曲げて前後の胴と合わせた際に表へ出てしまうため、必要以上に荒らさないように注意。

⑥ 底マチの両短辺のコバを磨く。

Check! 横マチとつなげた後では磨きにくいため、つなぐ前に忘れずに磨いておく。

⑦ 横マチの切り込みを入れた両端を立ち上げ、④で荒らした部分と底マチのノリ代を貼り合わせる。

⑧ 底マチの型紙で表した線に縫い線を引き、縫い穴をあけて縫い合わせる。反対側にも同様に横マチを縫い合わせ、3枚のマチをつなげた通しマチを仕上げる。

⑨ 通しマチの両長辺、端から5mm巾の位置に縫い線を引く。

⑩ 通しマチと背胴+カブセのノリ代を貼り合わせる。それぞれを貼り合わせる際は、まず底の中心をぴったり揃え、両角に向かいコバを揃えながら貼り合わせていく。

⑪ 角の部分を貼り合わせる際は、通しマチのつなぎ目部分を直角に折り曲げ、⑦で立ち上げた横マチの端の向きを変え、角を背胴の角にぴったりと合わせて貼り合わせる。

⑫ 続けて背胴側面のコバを揃えつつ、②でカブセにつけた貼り合わせ位置の印まで貼り合わせる。

⑬ ⑨で引いた縫い線に従って縫い穴をあける。基点となる横マチの角に、仕立て用目打ちで縫い穴をあける。

⑭ 基点より底側、⑪で直角に折り曲げて貼り合わせた箇所のスリットも、仕立て用目打ちで縫い穴をあける。

⑮ スリットの穴を新たな基点とし、反対端角の基点まで縫い穴をあける。

⑯ マチの側面は、角の基点より開口部側の端まで縫い穴をあける。

⑰ あけた縫い穴に従い、通しマチと背胴+カブセを縫い合わせる。

Check! 縫う距離が長いので、底の中心を区切りに2度に分けて縫っても良い。

⑱ 前胴とカブセにマグネットを取りつける（前項参照）。

⑲ 通しマチと前胴を貼り合わせ、縫い穴をあけて縫い合わせる（背胴と同じ手順）。

完 成！

組み立て Assembly

Point 1
通しマチを作る

底マチと横マチをつなぎ、1本の通しマチを作ります。接合部の切り込みやコバ磨き等、いくつかのポイントに注意してください。

01 各横マチに型紙を合わせ、切り込みを入れる箇所を表す印を写す

02 印位置よりマチとつなぐ側に向け、垂直に切り込みを入れる（左写真）。各切り込みの内側、端から4mm程の範囲を荒らし、ノリ代を作る

03 底マチの、両短辺のコバを磨く

04 横マチの切り込みを入れた両端を立ち上げ、02で荒らした箇所と底マチのノリ代を合わせて貼り合わせる

05 底マチに縫い線を引き、横マチと縫い合わせる

06 底マチの両端に横マチを縫い合わせ、1本の通しマチを作る

116

Point 2 通しマチと背胴を貼り合わせる

分割通しマチと各胴の貼り合わせ方は、基本的に前項の通しマチと同様。直角に曲げる、両角の処理方法のみが異なります。

01 通しマチの両長辺、端から5mm巾程の位置に縫い線を引く。横マチの立ち上げた部分も、底マチに重ねて縫い線を引く

02 通しマチと背胴、それぞれのノリ代に接着剤を塗る。底マチの立ち上げ部裏（写真位置）にも、接着剤を塗る

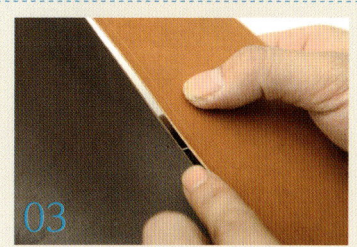

03 底中心を揃え、両側面に向けコバを揃えながら、接着面を貼り合わせる

04 側面の端までを貼り合わせたら、横マチの立ち上げ部を底マチ外側へ出す

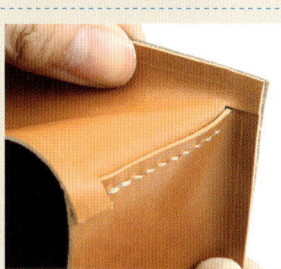

05 底マチと横マチの接合部を直角に折り曲げ、横マチの立ち上げ部を背胴の角に貼り合わせる

06 通しマチ（横マチ）の残り側面を、開口部に向けて貼り合わせる

07 通しマチを背胴に貼り合わせた状態

Dvided One-piece gusset pouch

117

組み立て Assembly

Point 3 縫い穴をあける

分割通しマチと各胴を縫い合わせる際の縫い穴は、直角に折り曲げて貼り合わせた角の部分を基点にしてあけます。

01

胴に貼り合わせた横マチの立ち上げ部、縫い線が交差する箇所に、仕立て用目打ちで基点となる縫い穴をあける

02

基点の脇、切れ目部分に仕立て用目打ちで穴をあけ、その穴を基点に底マチの縫い線上へアタリをつけていく

03

02の切れ目を外し、つけたアタリに従って縫い穴をあける。切れ目の無い横マチは、基点からアタリをつけて同様に縫い穴をあける

Dvided One-piece gusset pouch

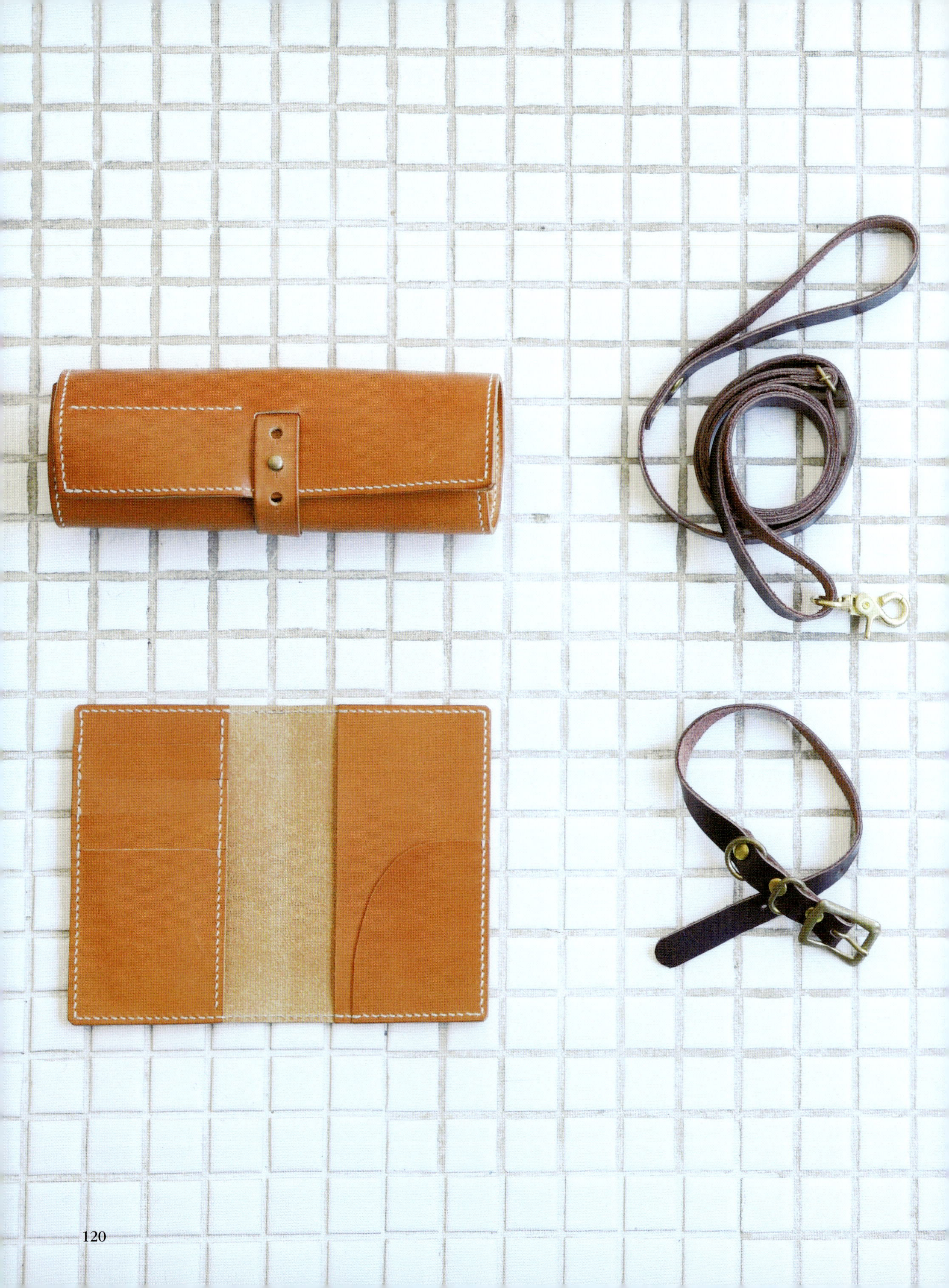

革好きのための
おでかけアイテム

「小物やバッグもいくつか作ったし、
もっと他にも革のアイテムが欲しい。」
という方におすすめしたい、
バラエティ豊かな革小物6品です。
応用できるテクニック満載なので、
サイズや形をアレンジして、
オリジナル作品に挑戦してみてください。

- ドッグカラー ……………………… P.122
- リード ……………………………… P.126
- カメラケース ……………………… P.130
- ネックストラップ ………………… P.134
- パスポートケース ………………… P.140
- ツールバッグ ……………………… P.146

Dog collar

ドッグ カラー

バックルやDカンをベルトに通し、
カシメるだけで完成するアイテム。
落ち着いた風合いの革レースと、
味わいの深い真鍮素材がマッチします。
愛犬の体格や性格に合わせ、
専用の首輪を作ってあげてください。

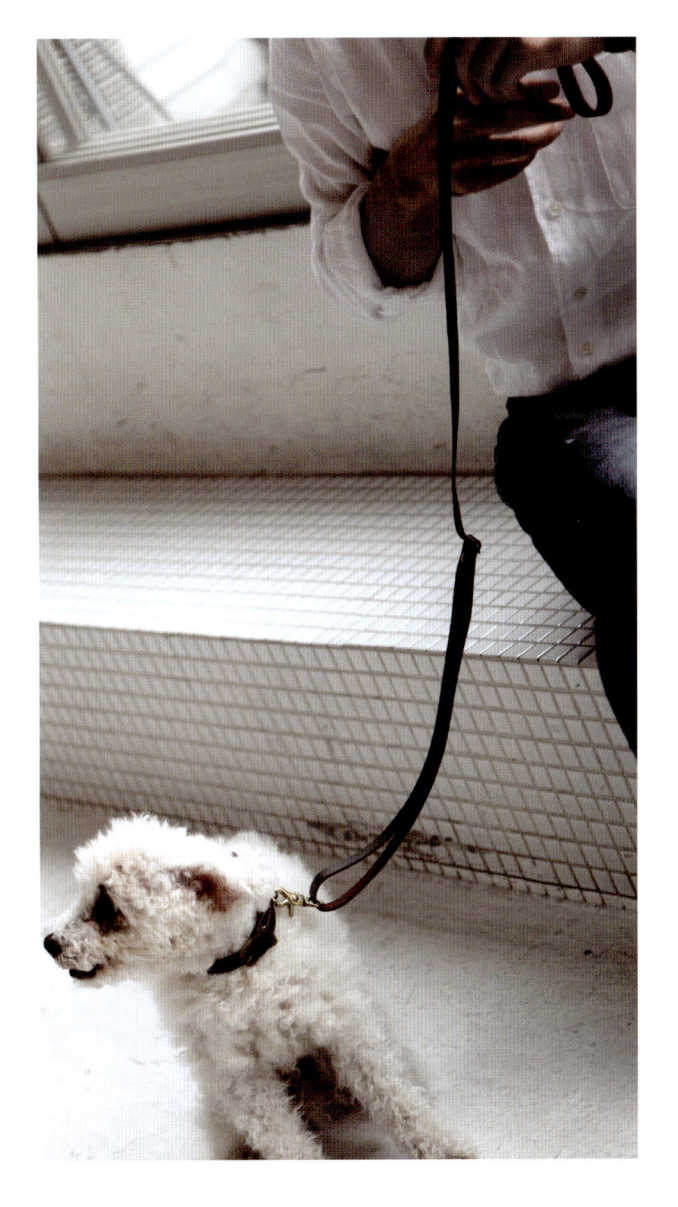

バックル用のピン穴は、サイズがぴったりならば1つでも問題ない。また、鈴をつけて猫用に仕立てても面白い

型 紙 Pattern

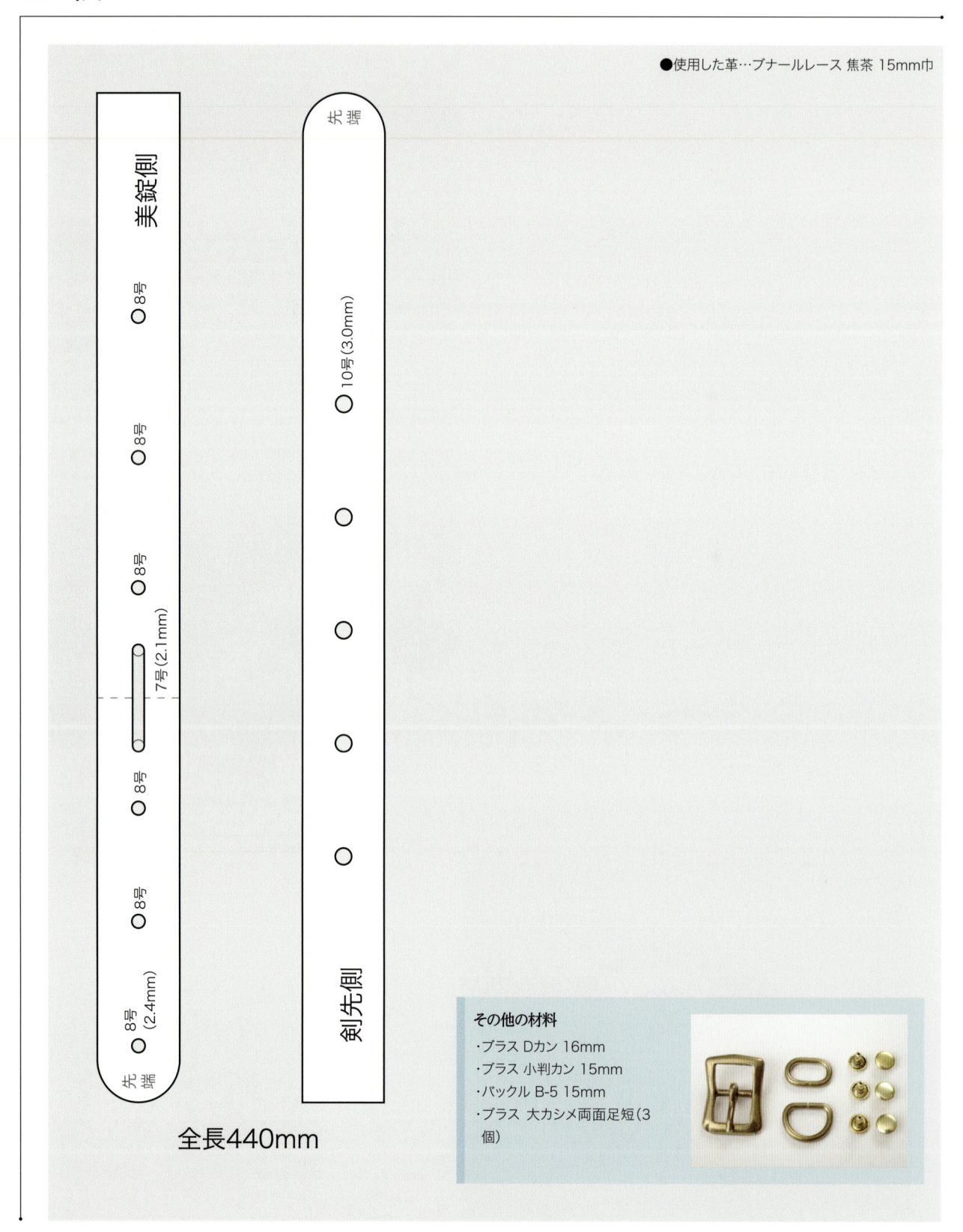

●使用した革…ブナールレース 焦茶 15mm巾

美錠側
○ 8号
○ 8号
○ 8号
7号(2.1mm)
○ 8号
○ 8号
8号(2.4mm)
先端

先端
○ 10号(3.0mm)
○
○
○
○
剣先側

全長440mm

その他の材料
- ブラス Dカン 16mm
- ブラス 小判カン 15mm
- バックル B-5 15mm
- ブラス 大カシメ両面足短(3個)

組み立て Assembly

Dog collar

手 順

❶ 440mm程度に切り出したレースの両端を型紙に合わせてカットし、穴をあける。

❷ スリットにピンを差し込み、バックルを通す。
Check! ピンの向きに注意。外側を向くようにする。

❸ バックルのすぐ横の穴をカシメで固定する。

❹ 小判カンを通す。

❺ その隣の穴をカシメで固定する。

Check! 穴の間隔が表と裏でズレているので、小カンが収まるすき間ができる。

❻ Dカンを通す。

❼ その隣の穴をカシメで固定する。

Advice

　金具を通す順番を間違えずに、所定の穴位置にカシメを打ち込んで固定すれば完成なので、非常に簡単です。カシメがしっかりと取りつけられていれば、強度もしっかりとしています。
　「剣先側」の型紙に記されている穴位置は、小型〜中型犬種に使える平均をとっているので、微調整してください。大型犬用の場合は、同じ「ブナールレース」の30mm巾を2枚貼り合わせて縫うか、もっと厚手で張りのあるヌメ革レースを使っても良いでしょう。
　幅や革の厚みなど、いくつかの留意点はありますが、金具や革の選択肢は多いので、さまざまな組み合わせから選べます。本書で作っている落ち着いた雰囲気だけではなく、装飾に凝った華やかなものなどを作っても良いでしょう。

Lead

リード

ドッグカラーと同じしなやかなレースを使った、
お揃いのリードです。
合わせて作ると良いでしょう。
金具の色も同じにすれば、より統一感が出ます。
線コキという金具を挟むので、
長さの調節もできる優れものです。

同じ革レースと金具を使えばデザインも共通になるので、ドッグカラーと同時に材料集めをして作るのがおすすめ

型 紙 Pattern

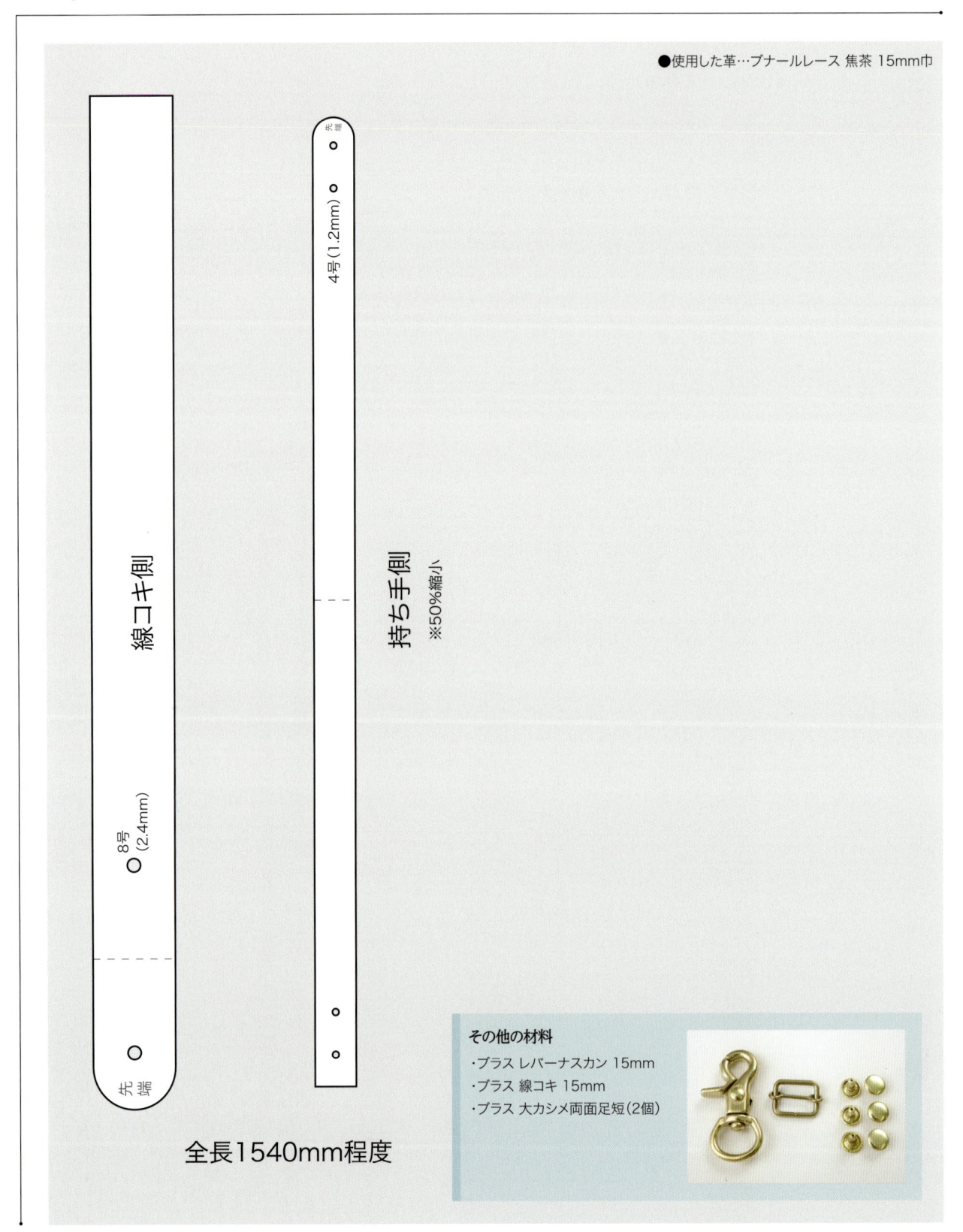

●使用した革…ブナールレース 焦茶 15mm巾

線コキ側

8号(2.4mm)

先端

持ち手側
※50％縮小

4号(1.2mm)

先端

全長1540mm程度

その他の材料
・ブラス レバーナスカン 15mm
・ブラス 線コキ 15mm
・ブラス 大カシメ両面足短(2個)

組み立て Assembly

手順

1. 全長1540mm程度にカットしたレースを用意する。
2. 両端に、それぞれ型紙の通りの穴をあける。
3. 線コキ側の端を線コキの軸に通し、穴をカシメで固定する。  
4. 持ち手側の端から、レバーナスカンを通す。 
5. 持ち手側の端を線コキに通す。  
6. 持ち手側を折り、2組の穴をカシメで固定する。

Advice

　線コキの通し方にややコツが必要ですが、カシメの打ち方にさえ慣れてしまえば、初心者でもあっという間に仕上げられてしまうアイテムです。いろいろな色の組み合わせでいくつか作ってみて、お好みのコンビネーションを見つけてください。

　革は、2mm厚もあれば非常に丈夫なので、めったなことでは切れたりしません。ただし、力が強い大型犬などに使って不安なときは、貼り合わせたり伸び止めテープを活用したりして補強してください。両サイドを縫うのも効果的ですが、縫う範囲が広いので、作業が大変になります。

Camera case

カメラケース

コンパクトデジカメをすっぽりと収納する、
革のナチュラルな風合いが活きたケースです。
単純なワンピース構造なので、
ノリ代を貼り合わせれば自然と形になります。
本体の両端には、ストラップ用のDカンを取りつけます。
ショルダータイプの子供用ポーチにもおすすめです。

型 紙 Pattern

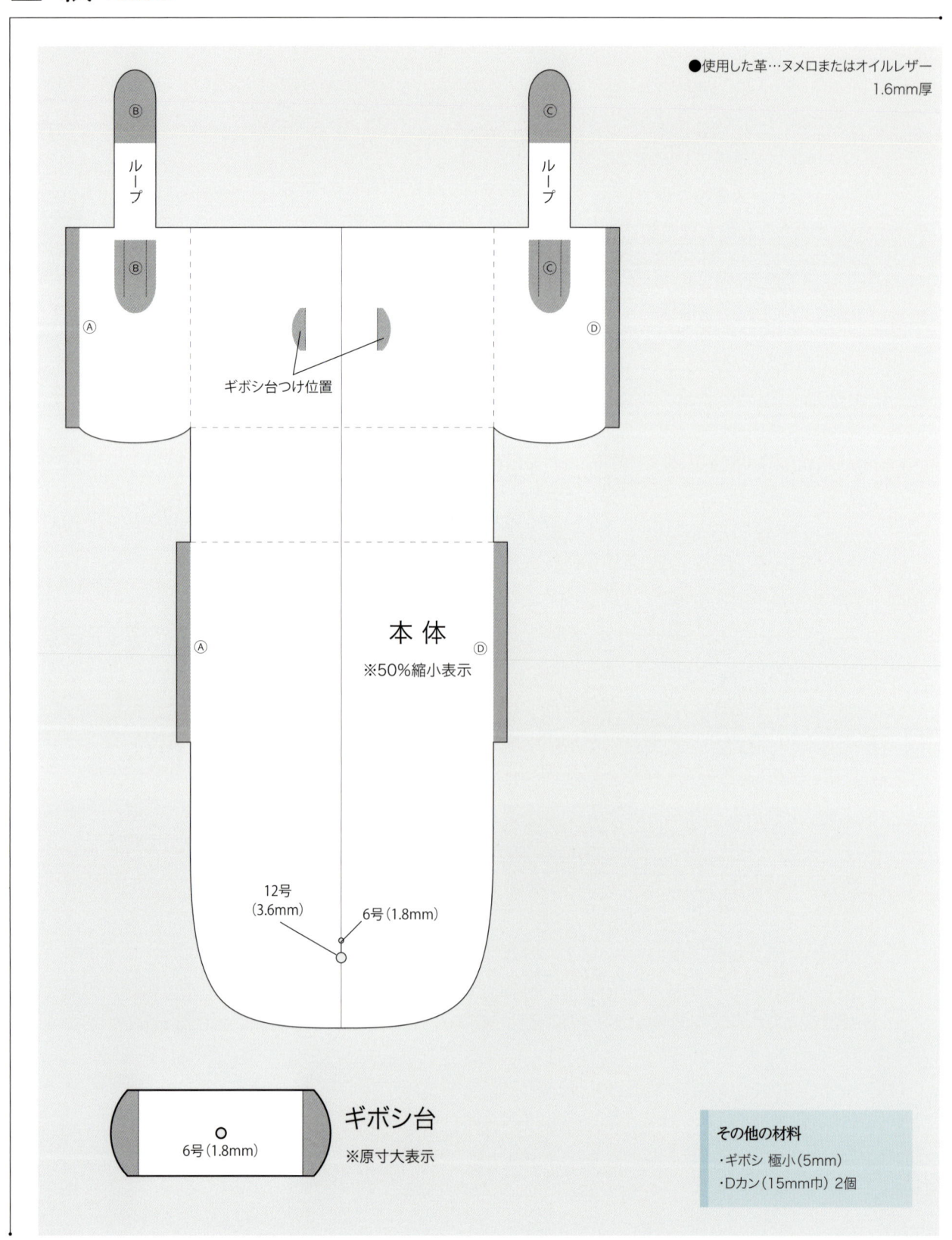

●使用した革…ヌメロまたはオイルレザー
1.6mm厚

Ⓑ ループ Ⓑ
Ⓒ ループ Ⓒ
Ⓐ Ⓓ

ギボシ台つけ位置

本 体
※50％縮小表示

Ⓐ Ⓓ

12号
(3.6mm)

6号(1.8mm)

ギボシ台
6号(1.8mm)
※原寸大表示

その他の材料
・ギボシ 極小(5mm)
・Dカン(15mm巾) 2個

組み立て Assembly

手順

1. 本体カブセ部分の2ヵ所にハトメ抜きで穴をあけ、2つの穴の中心をつなぐ切り込みを入れてギボシ留めを作る。
2. ギボシ台に穴をあけ、ギボシを取りつける。
3. ギボシ台を前胴に縫い合わせる。
4. マチのループにDカンを通し、床面側へ折り返して(Ⓑ/Ⓒ)を貼り合わせる。
5. 貼り合わせた箇所を縫い合わせる。
6. 本体の破線部を軽く山折りし、マチの側面と背胴側面(Ⓐ/Ⓓ)を貼り合わせる。
7. 貼り合わせた箇所を縫い合わせる。

完 成！

Point
ギボシ台の使い方

カブセを留める際、収納したカメラに傷をつけないため、前胴部にギボシ台を設けています。カブセの留め方は以下の通りです。

前胴へ直接ギボシをつけるのではなく、独立したギボシ台を設けてギボシをつけている

ギボシ台と前胴の隙間に指先を挿し入れ、下からギボシを押さえた状態でカブセを留める

Camera case

133

Neck strap
ネックストラップ

端にはナスカンと長さ調整。
センターには肩当てパッド。
カバンやポーチにも活用できる、
万能型ネックストラップです。
前項で紹介しているカメラケースにもぴったり。
セットで製作してみてください。

使う人に合った長さを決めておけば、長さ調節機能をつけなくても作ることができる。カメラケース以外にも、いろいろなアイテムと組み合わせられる便利なアイテム

組み立て Assembly

型紙は巻末の折り込み裏面

●使用した革…ヴォーノレース 10mm巾
パダレット 1.0／1.8mm厚

その他の材料
- ナスカン 12mm（2個）
- バックル B-24 10mm（2個）
- 小カン K-1 12mm（2個）
- 小カシメ 両面足短（6個）
- パルソール（芯材）0.6mm厚

Advice

肩当ては、中のレースの角が当たると肩を圧迫するので、芯材を入れて平らにします。レースを挟み込むように表、芯材、裏のパーツを重ねていくので、肩に当たる裏面を平坦にすることを心がけながら作業してください。また、裏のパーツに使う革は、色落ちしにくいものを選んでください（詳しくはお店のスタッフにお尋ねください）。

ストラップ部分の両端は、長さ調節機能を入れる場合は金具の通し順が少し複雑になりますが、組み立てはカシメで留めるだけなので簡単です。折りたたんで2枚重ねになる端の部分だけ斜めに漉いて薄くしておけば、作りやすくなる上、でき上がりの形もすっきりとします。

手 順

① 全長1400mm程度にカットしたレースの両端に、型紙通りの穴をあける。

② レースの両端は、漉いておくと仕上がりのフォルムが良くなる（「Point 1 レースの漉き方」参照）。

③ レースの両端にナスカン、小カン、バックルを通し、カシメで固定する（「Point 2 金具を取りつける手順」参照）。

④ 肩当ての裏地と芯材を型紙通りに切り出す。肩当ての表は、裏地と同じ長さで、幅は10mmほど広く切り出す（粗裁ち）。

⑤ ストラップと肩当て（裏地）のセンターを揃えて並べ、肩当ての長さをストラップに写す。

❻ 裏地の床面と芯材の片面に接着剤を塗り、センターを揃えて貼り合わせる。

❼ 芯材のもう一面、ストラップの裏面にも接着剤を塗り、センターを揃えて貼り合わせる。

❽ 床面に接着剤を塗った肩当て（表）をストラップの上に被せ、両サイドを裏地としっかり接着する。

Check! このとき、曲がったり歪んだりしないように、紙を挟んで端から慎重に貼っていくと良い。

❾ 両サイドにはみ出している肩当て（表）の余った部分を、裏側から切り落とす。

❿ 肩当ての両サイドを縫い合わせ、両端の適当な位置に補強のためのカシメを打ち込んだら完成。

Check! 肩当ての角は、好みで斜めにカットしても良い。

Point 1 レースの漉き方

01

02

ストラップ用のレースを使用する長さにカットしたら、両端を床面から斜めに漉く（範囲は20～30mm）。ガラス板の上に置き、写真のようにカッターの刃を寝かせながら削ぎ落とすイメージで漉くと良い

上記の方法で漉くと、先端に毛羽立ちができ、そこだけ厚みができてしまうので、左の写真のようにカッターで切り落とす。切り口がなだらかになっているのが理想。段差や凹凸があったら、少しずつ削って微調整しておくと良い

組み立て Assembly

Point 2 金具の取りつけ手順

01 レースの先端をバックルに通す。ピンが外側（レース先端側）を向くようにする
02 その先に小カンとナスカンを通す

03 先端をナスカンの位置で折り返し、再び小カンに通す
04 バックルの軸に絡ませるように通す

05 レースを引き込み、カシメ用の穴が重なるところで折り返す
06 穴をカシメで固定する

最後に、レースをバックルにしっかりとセットし、全体の形を整えておく

Neck strap

Passport case
パスポート
ケース

パスポートをスリムに収納できる、
ブック型多機能ケース。
中には4段のカードポケットと、
シンプルなマルチポケットがひとつ。
肌身離さず持ち歩くものだから、
革でしっかりと保護ましょう。

内装にカードポケットとマルチポケットを縫いつけてから、全体を縫い合わせる。シンプルながらよく使われるテクニックなので、財布や手帳カバーなど、色々なブック型アイテムに応用可能

型紙 Pattern

●使用した革…ヌメロまたはオイルレザー 1.0mm厚

本体

Passport case

カードポケットA
3枚

左右ポケット
2枚

カードポケットB

小ポケット

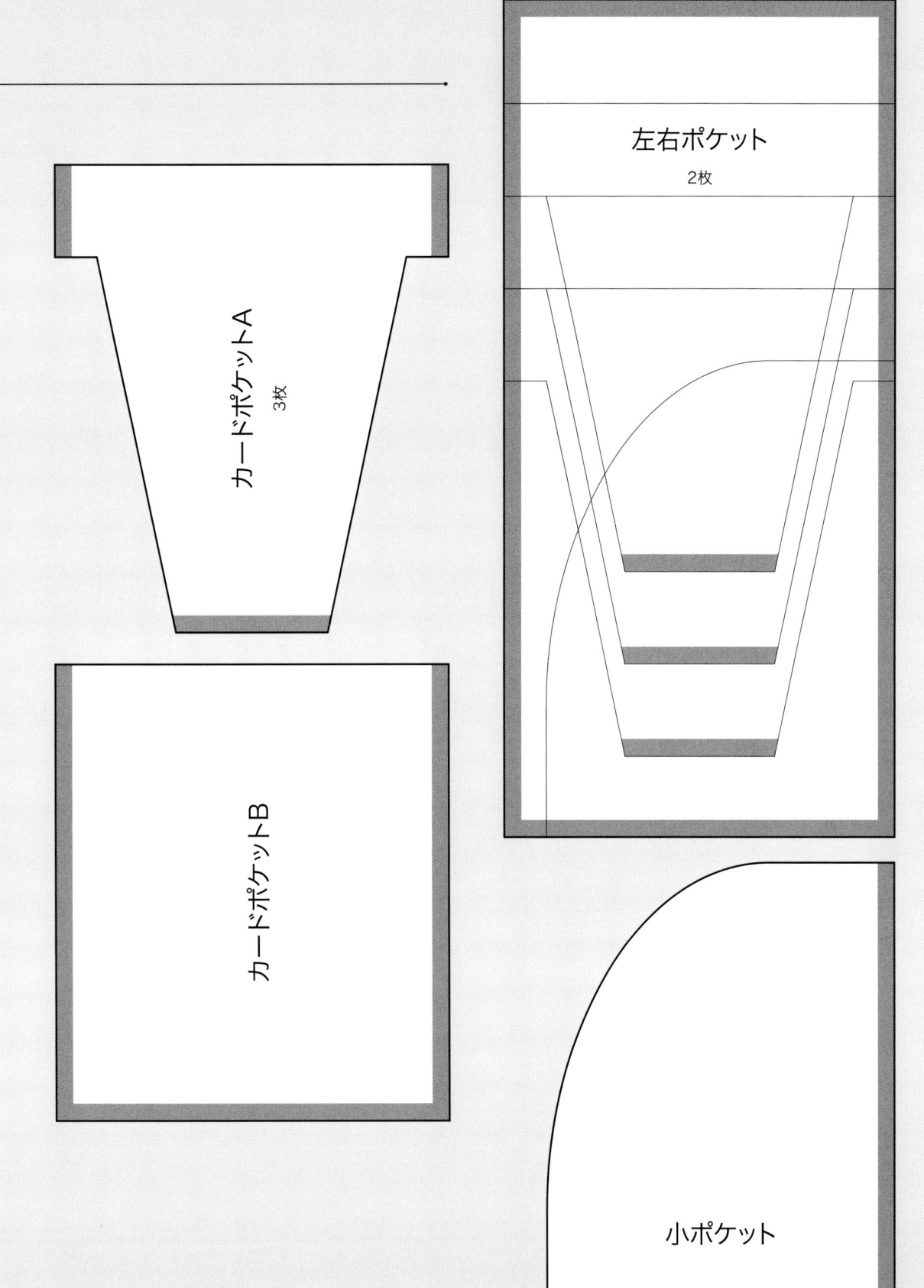

143

組み立て Assembly

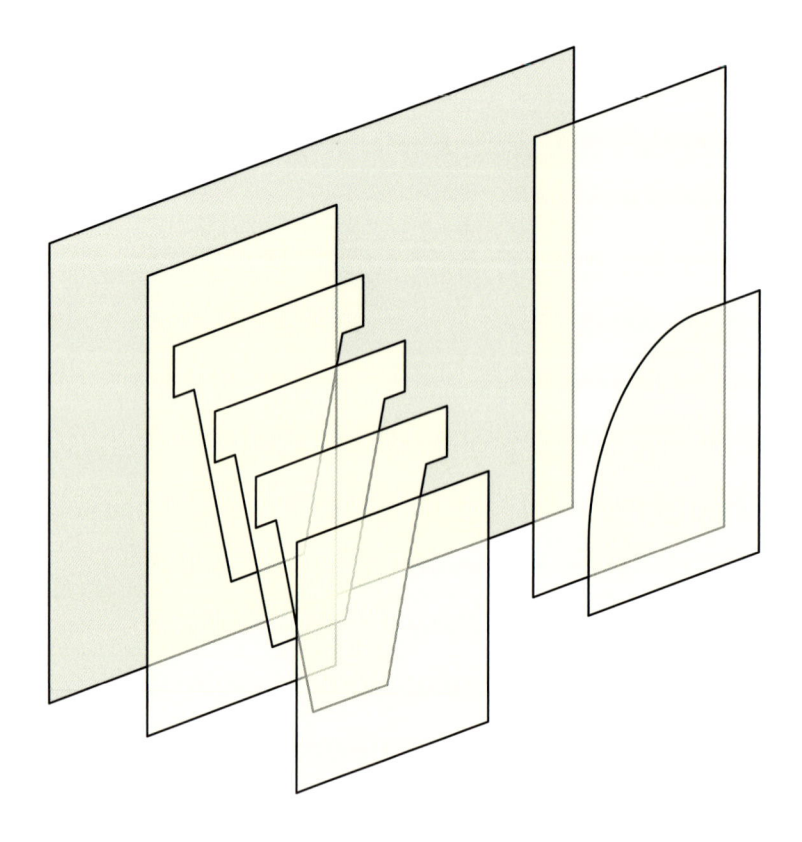

手 順

1. 右ポケットに小ポケットを貼り合わせる。
2. 左ポケットにカードポケットA、下の辺を貼り合わせる。
3. 貼り合わせた下の辺を縫い合わせる。
4. 同じ手順を繰り返し、先に縫い合わせたカードポケットAに重ね、残る2枚のカードケットAを左ポケットに縫い合わせる。
5. カードポケットBの開口部を除く3辺を、左ポケットに貼り合わせる。
6. 左ポケットの右側面を縫い合わせる。
7. 左右のポケットを本体に貼り合わせる。
8. 本体の全側面を縫い合わせる。
9. 好みにより角を落とし、コバを整える。

完 成 !

Ⓟoint
左ポケットの作り方

複数のカードを収納できる、仕切りを設けた左ポケット。まず「V字型」のカードポケットAを順に重ねて取りつけ、次にカードポケットBを底側に合わせます。そして最後に、内側にあたる右側面を縫い合わせます。

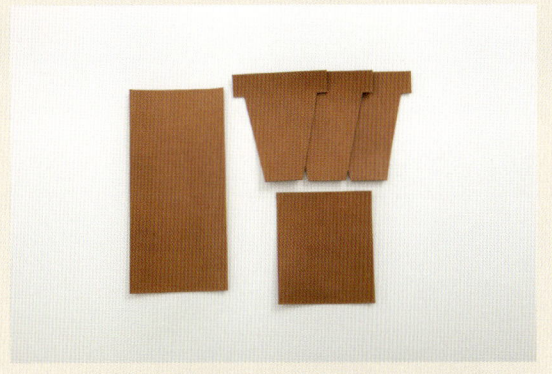

左ポケットを構成するパーツ一式。型紙を見れば分かる通り、ベースとなるポケット革（左右ポケット）は左右共通

01 カードポケットAの底側一辺を、ポケット革に縫い合わせる

02 2枚目のカードポケットAを重ね、底側一辺をポケット革へ同様に縫い合わせる。3枚目も同様に縫い合わせ、各カードポケットAの両側面を貼り合わせる

03 カードポケットBを3枚目のカードポケットAの上に重ね、開口部を除く3辺を貼り合わせる

04 内側にあたる右側面を縫い合わせれば、左ポケットは完成。残りの辺は本体と一緒に縫い合わせる

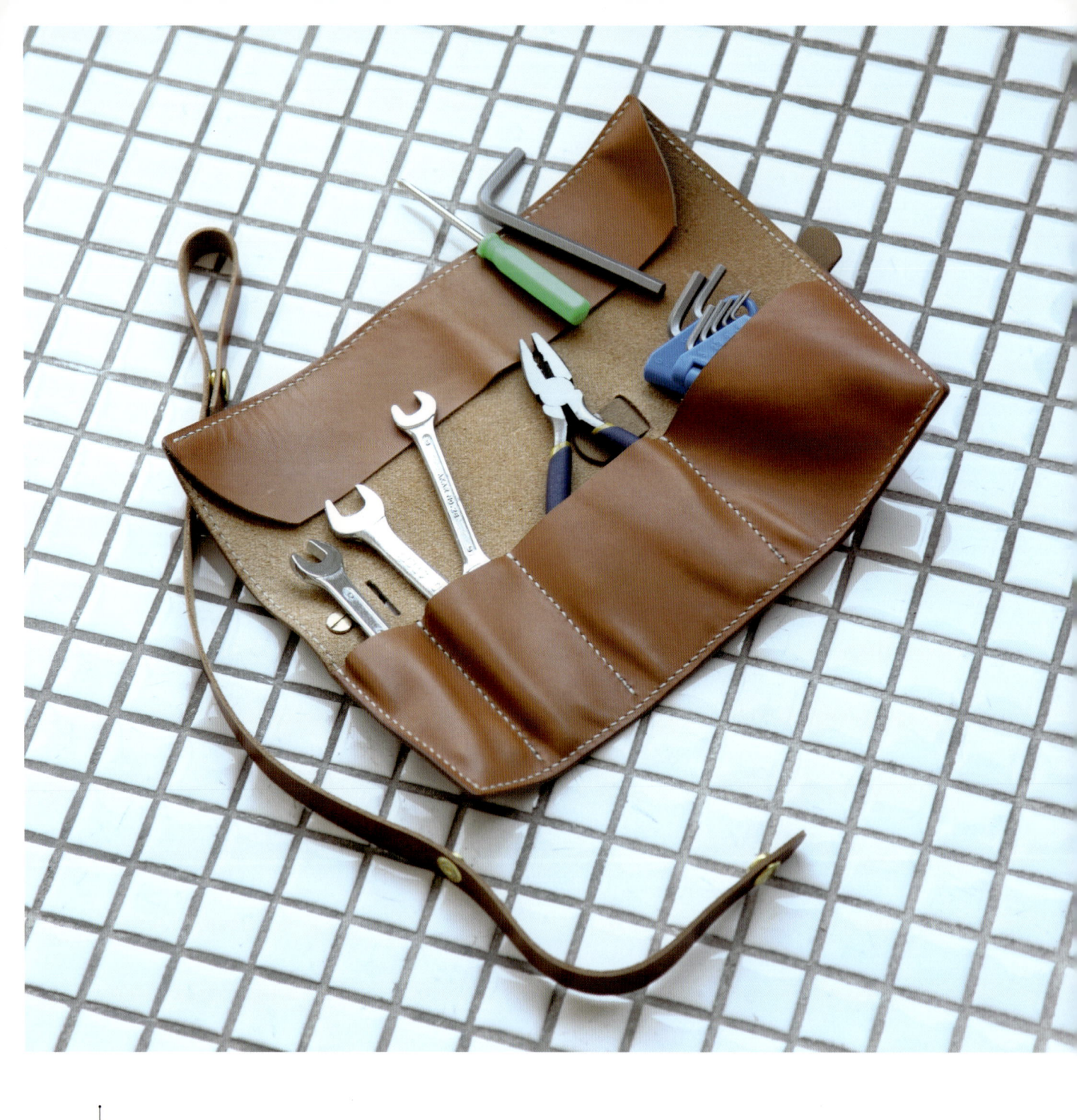

Tool bag

ツールバッグ

巻き上げてベルトで固定するタイプ。
広げれば工具置きとして活用可能です。
自転車のトップチューブに提げるなら、
専用の取りつけストラップも作りましょう。
さらに、そのままペンケースにも使えます。
応用の幅が広いアイテムです。

本体に縫いつけてある留めベルトの端をスリットに差し込み、穴をギボシにはめることで、しっかりと固定される

147

型 紙 Pattern

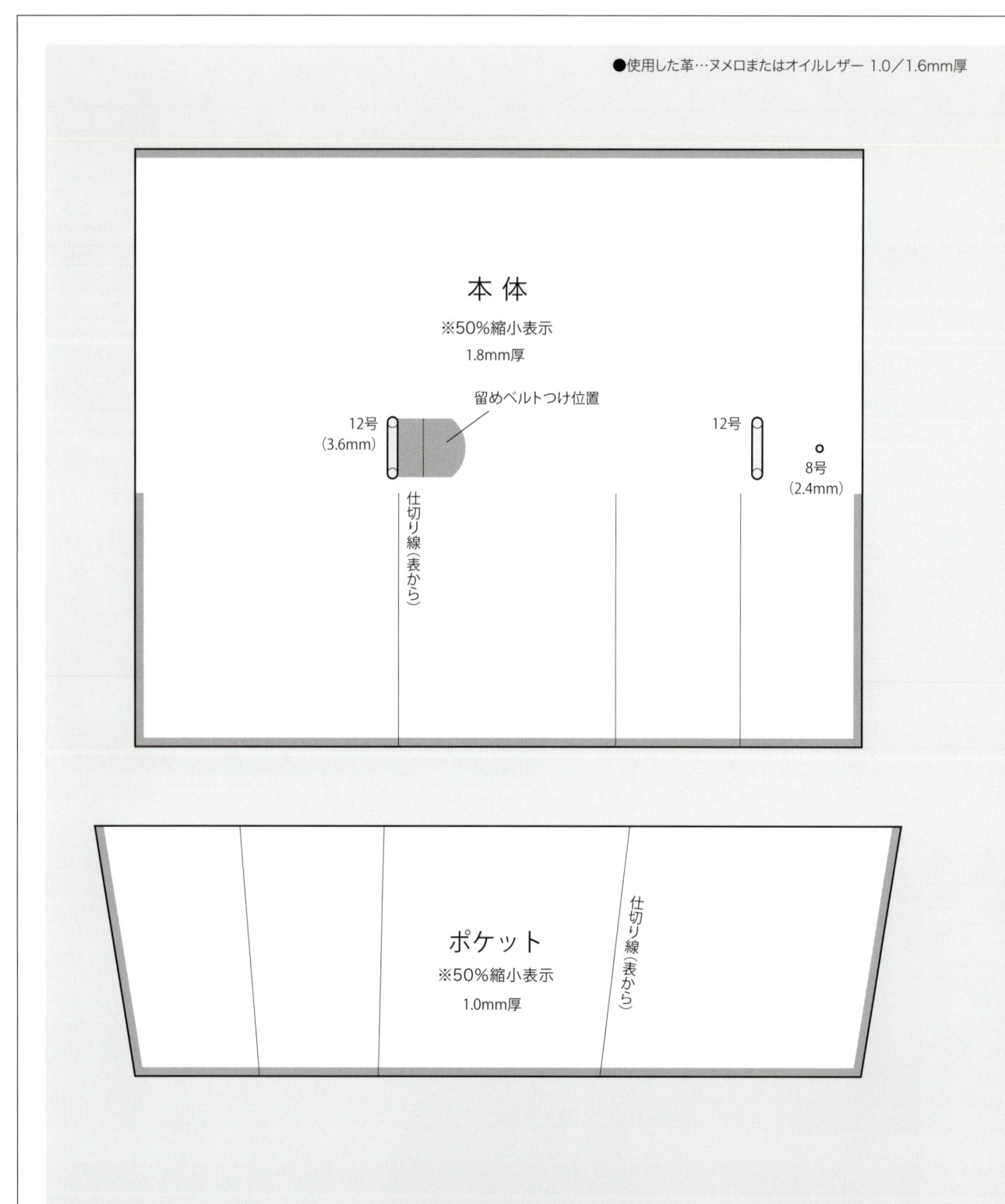

●使用した革…ヌメ革またはオイルレザー 1.0／1.6mm厚

本 体
※50%縮小表示
1.8mm厚

留めベルトつけ位置

12号
(3.6mm)

12号

8号
(2.4mm)

仕切り線（表から）

ポケット
※50%縮小表示
1.0mm厚

仕切り線（表から）

押さえ
※50%縮小表示
1.0mm厚

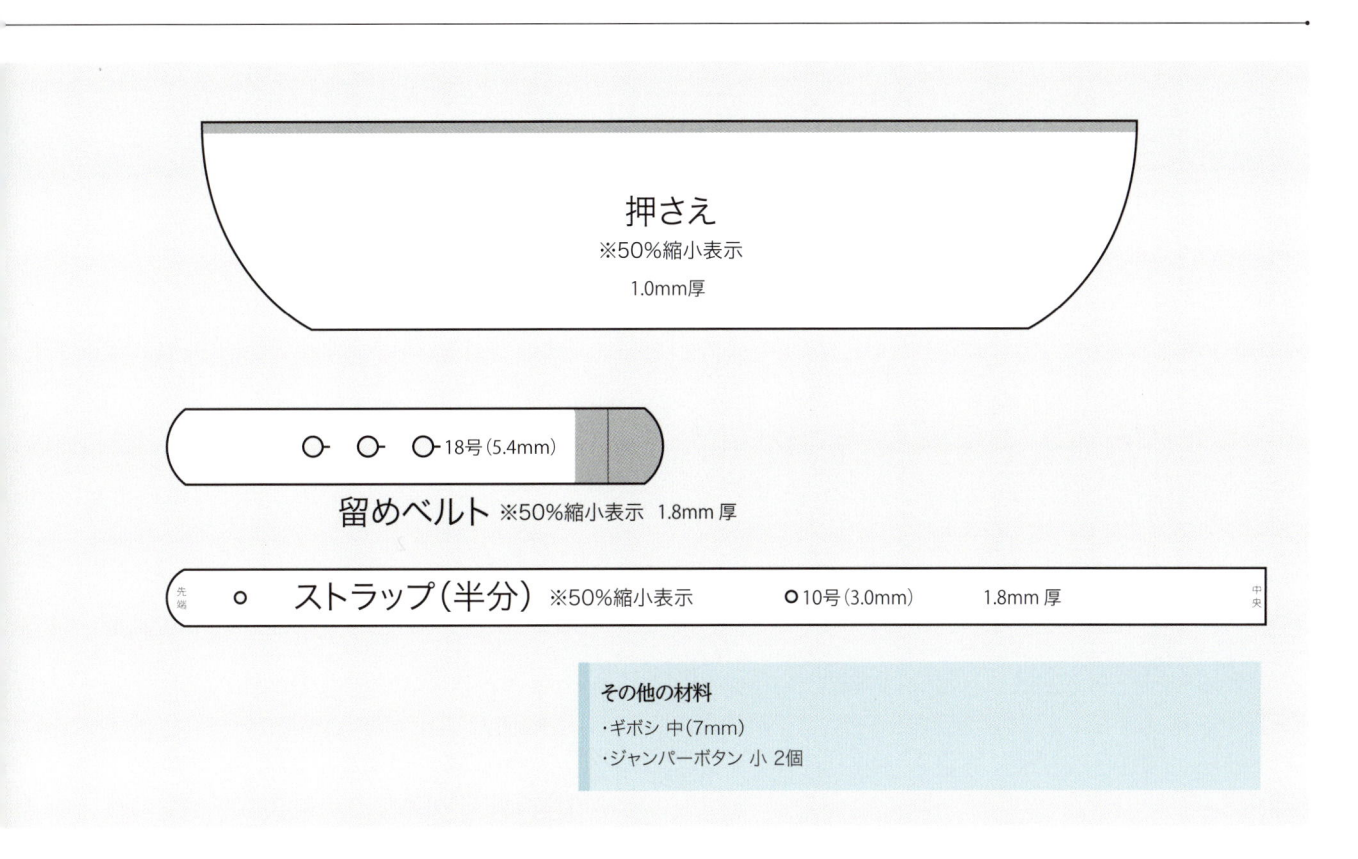

留めベルト ※50%縮小表示 1.8mm厚
18号(5.4mm)

先端 ストラップ(半分) ※50%縮小表示 10号(3.0mm) 1.8mm厚 中央

その他の材料
・ギボシ 中(7mm)
・ジャンパーボタン 小 2個

組み立て Assembly

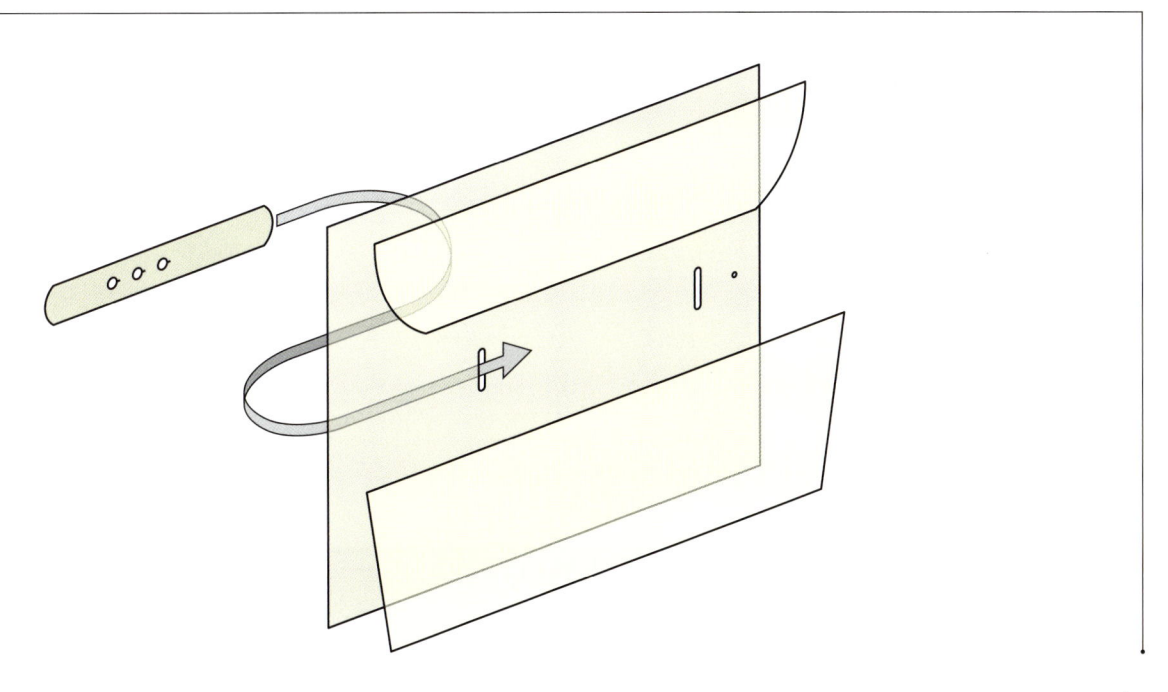

組み立て Assembly

手順

1. 留めベルトにハトメ抜きで穴をあけ、穴のすぐ脇に切り込みを入れる。
2. 本体の5ヵ所にハトメ抜きで穴をあける。
3. 留めベルトを通す穴の側面をつないで切り、スリットを設ける。
4. 本体とポケットの各仕切り線に、同数の縫い穴をあける。
5. 留めベルトの先を、本体の表から中央のスリットに通す。
6. 留めベルトを本体に縫い合わせる。
7. 押さえを本体に縫い合わせる。
8. ポケットの長辺を、本体に縫い合わせる。
9. ポケットの各仕切り線部を縫い合わせる。
10. 本体の両側面を、ポケットの側面を含めて端まで縫う。
11. ギボシをつける。
12. ストラップにハトメ抜きで穴をあけ、ジャンパーボタンを取りつける。

完成！

Point
ジャンパーボタンの取りつけ方

ストラップの両端にジャンパーボタン（小）を取りつける際は、各種ジャンパーボタンのアタマに適合する窪みが設けられた打ち台＝「メタルプレート」と、専用の「ジャンパーボタン打棒」を使用します。

ストラップの両端を留めるジャンパーボタン。ここでは留める端にのみアタマをつけているが、別にもう1セットのアタマを用意し、両面をアタマにすることもできる

01 メタルプレートの適当な窪みにアタマを収め、ストラップ端の穴にアタマのアシを通す。アシにバネを合わせ、アシの端を打棒で潰して固定する

02 アタマ（バネ）に合わせるホソ（ゲンコ）をメタルプレートの平面にのせ、取りつけ位置の穴にそのアシを通す。アシにゲンコを合わせ、アシの端を打棒で潰して固定する

付録

本書の作り方解説には基礎的なことが書かれていませんので、ここに様々な知識をまとめておきました。型紙のこと、材料のこと、その他の知識が学べるおすすめの書籍など、より良い作品を完成させるための情報としてご活用ください。

- 型紙の使い方 …………… p.152
- おすすめ革 ……………… p.154
- 金具図鑑 ………………… p.156
- 道具図鑑 ………………… p.162
- 監修企業紹介 SEIWA …… p.172
- おすすめ書籍 …………… p.174

型紙の使い方 Petterns

型紙は、右に記載しているいくつかのルールで作られています。一部のアイテムは、レザークラフト経験者の方なら型紙を見るだけでも組み立てることができるように情報を盛り込んであります。

型紙を使用するときは、コピーして厚紙に貼ります。コピー可能なA3サイズ以下のパーツしか掲載していませんが、もし上手くできないときは分割してコピーし、線を頼りに貼り合わせてください。

■ 手 順

① 型紙をコピーする
まずは、本書に掲載されている型紙をコピー機で複製してください。

② 粗裁ちして厚紙に貼る
カット線の1cmほど外側で粗裁ちしたものを、ボール紙など厚手の紙（あるいはクリアファイルなどを使うともっと丈夫になります）に貼りつけます。液体のりを使うと紙が歪んでしまうので、固形のりかスプレーのり、またはゴムのりを使います。

③ 型紙を切り出す
カット線に沿って厚紙ごと丁寧に裁断し、型紙を作ります。直線は定規を添えると正確です。線の中央をカットすれば、誤差を最小限にできます。

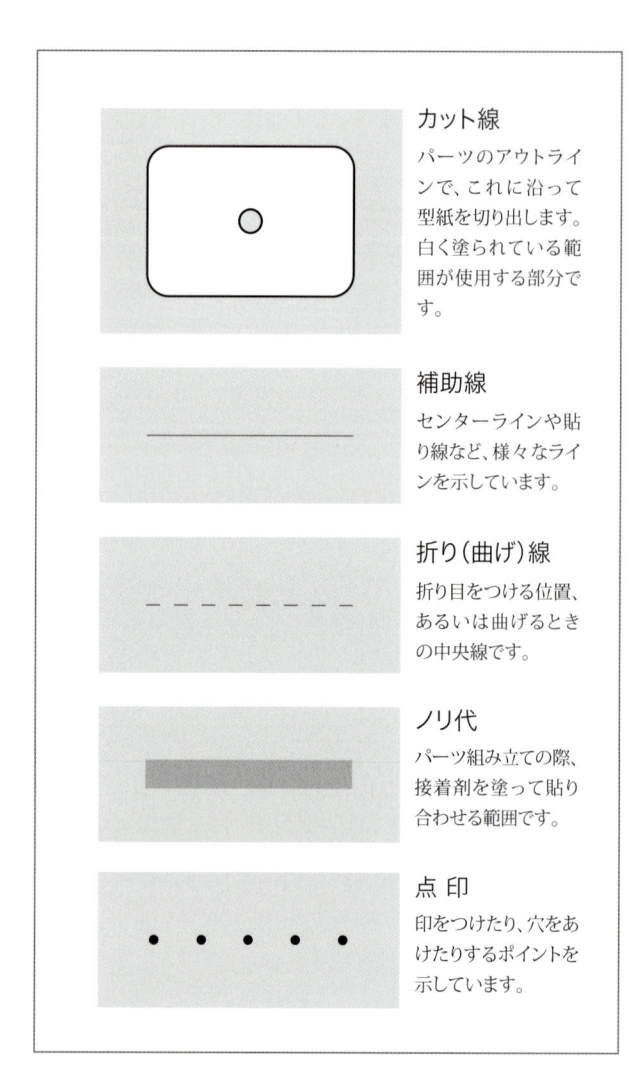

カット線
パーツのアウトラインで、これに沿って型紙を切り出します。白く塗られている範囲が使用する部分です。

補助線
センターラインや貼り線など、様々なラインを示しています。

折り（曲げ）線
折り目をつける位置、あるいは曲げるときの中央線です。

ノリ代
パーツ組み立ての際、接着剤を塗って貼り合わせる範囲です。

点印
印をつけたり、穴をあけたりするポイントを示しています。

付　録

■ 丸穴のあけ方

型紙にカット線で描かれた丸穴がある場合は、記載されているサイズのハトメ抜きを使って型紙に穴をあけておきましょう。写す際は、パーツに型紙をぴたりと重ね、ハトメ抜き自体を押しつけます。あとはハトメ抜きの跡に合わせて打ち抜けばOKです。

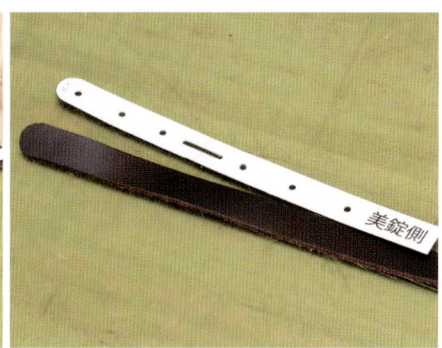

■ スリットのあけ方

スリット状の長細い穴は、両端に幅に合わせた丸穴が記載されています。その部分に指定のハトメ抜きで丸穴をあけた後、それらをつなぐようにカッターで切込を入れてください。革にスリットをあける際も同様です。

■ 50%縮小掲載に注意

本書の型紙は、ほとんどは実寸掲載ですが、一部のパーツは50%縮小掲載されています（パーツ上に明記しています）。その場合は、コピーするときに200%に拡大するか、長さを元に作図し直して使ってください。

■ 縫い穴の位置を決めておくと便利

レザークラフトでは、組み立ての過程で縫い合わせる部分に縫い穴をあけますが、このとき穴が均等な間隔で並ぶように位置を調整します。これを革に直接行なうのではなく、型紙でしっかりと行なっておくと、製作するときに穴位置が正確に決まっているので、仕上がりがきれいになります。特に同じものを複数回作るつもりであれば、調整を毎回行なう手間が省け、効率も良くなります。

おすすめ革 Leather

本書のアイテムに使われている革を紹介します。メインとなる革は、SEIWA取り扱いの「ヌメロ」または「オイルレザー」です。1.6mm厚なので、アイテムごと、あるいはパーツごとに厚みを漉いて使います。これによって、形をきれいにまとめたり、使いやすくすることができます。また、レースはタンニンなめしとクロムなめしの両方が登場し、目指す仕上がりによって使い分けています。その他、本書に登場する芯材についても、ここで解説しておきます。

革の選び方

革には大きく分けて「タンニンなめし」と「クロムなめし」があることは、ご存知の方も多いでしょう。革の選び方はいろいろな要素が絡むので、絶対のルールはないのですが、この2つの分け方を考慮すれば、ある程度失敗が少なくなります。本書で紹介するような手縫いで作るレザークラフトには、タンニンなめし、あるいはクロムなめし革にタンニンを入れた「コンビネーションなめし」が適しています。やや張りがあり、外に出したコバを磨いて仕上げることができるためです。厚みは、1.0〜2.0mmの範囲が標準。それより薄いと張りが出ずコバが弱くなり、厚いと固すぎたり形が崩れたりします。パーツによって厚みを調整するときれいに仕上がりますので、本書の記載を参考に試してみてください。

■ ヌメロ

タンニンなめしの革をしなやかに仕上げた革。しっとりとした適度なツヤがある美しいギン面を持ち、革のナチュラルな風合いを出す。タンニンなめしなので、コバを磨いて仕上げることもできる。1.6mm厚なので、部分によって漉いて使い分ければ、アイテムの完成度も格段にアップする。カラーは8色。

■ オイルレザー

オイルを豊富に含み、タンニンなめしの丈夫さにしっとりとした手触りを持たせた革。風合いも良く、使い込む程にツヤが増すので、エイジングを楽しむことができる。厚みは1.6mmなので、部品ごとに漉いて厚みを変えて使用する。色は全部で6色ラインナップされている。

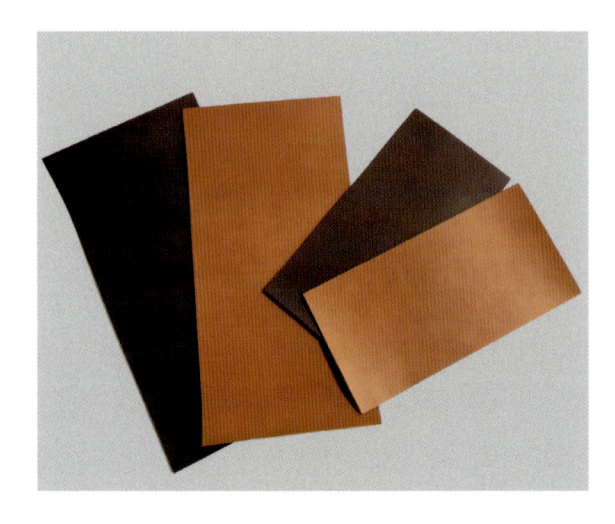

付　録

■ ヴォーノレース

タンニンなめしの革で作られた、2.2mm厚の牛革レース。床やコバまで色をつける「芯通し染め」なので、染色しなくてもそのまま使用できるのが特徴。幅は5mm、8mm、10mmの3種類。色は生成、キャメル、赤、黒、焦茶の5色（ひと巻き単位で買える中茶、焦げ茶、レンガ、紺もある）。

■ ブナールレース

約2mm厚のクロムなめしの革から作られた、しなやかで丈夫な牛革レース。表面はマットな仕上がりですが、使うほどに光沢が出てきます。15mmと30mmの2種類があり、本書では15mm幅を使用しています。色は黒と焦茶の2種類。

■ バルソール

天然の革を粉末状にし、再び固めてシート状にした芯材。しなやかなので、ベルト類や袋物の芯材としてぴったりです。質感は革に似ているので、漉き加工なども施せます。厚みは0.6mm、1.0mmの2種類があり、本書の「ネックストラップ」では0.6mm厚を使用しています。

■ テキソン

紙繊維に樹脂を染み込ませた芯材。張りがあるので、コシを持たせたいパーツに貼り込みます。革が柔らかく、バッグやポーチなどの本体がヘタってしまうときに使いましょう。厚みは0.45mm、0.6mm、0.9mmの3種類があるので、作品の大きさによって使い分けます。

金具図鑑 Metal Parts

　本書で使われている金具のカラーとサイズのバリエーションを紹介します。同じアイテムでも、異なる色の金具を使うだけで雰囲気が変わるので、いろいろ試して好みを探してみてください。記載されている数値は内径や外径など、金具によって示しているものが異なるので、注釈に注意してください。

[金具のカラー表記]
N：ニッケルメッキ　G：本金メッキ　B：真鍮　BN：真鍮ニッケルメッキ　AT：アンティークメッキ　ダール：ダールメッキ／BZ：真鍮メッキ　DG：代用金

■ブラスレバーナスカン

①ブラス豆レバーナスカン …………… 8mm
②ブラス豆レバーナスカン …………… 10mm
③ブラスレバーナスカン ……………… 10mm
④ブラスレバーナスカン ……………… 15mm
⑤ブラスレバーナスカン ……………… 17mm
※数値は内径

■ブラスDカン
10／12／16／18／21／24／30／40mm
※数値は内径

■ブラス イモノ丸カン
12／15／18／21／24／30／40mm
※数値は内径

■ブラス 小カン
12／15／18／21／24／30／40mm
※数値は内径

■ブラス 小判カン
15／18／21／24／30mm
※数値は内径

■ギボシ
①極小 …………… 5mm
②中 ……………… 7mm
③大 ……………… 10mm
※数値は頭の外径

■ブラス カシメ
①小カシメ両面足短 …… 6×7.3mm
②小カシメ両面足長 …… 6×8.3mm
③大カシメ両面足短 …… 9×9mm
④大カシメ両面足長 …… 9×10.5mm
※数値は外径×高さ

付　録

■ ブラス バネホックボタン

・No.2 小 …………… 11.5×4.5mm
・No.5 大 …………… 12.6×5.8mm
・8050 特大 ………… 15×5.6mm
※数値は外径×高さ

■ ブラス ジャンパーボタン

・7060 小 ……………………………… 12.6×7×6mm
・7050 大 ……………………………… 15×8.3×7mm
※数値は外径×頭の高さ×足の高さ

■ ブラス 線コキ

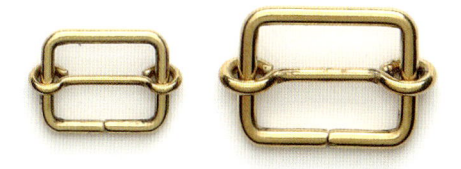

12／15／18／21／24／30／40mm　※数値は内径

■ ブラス シャクル／Sカン／ナスカン

① ② ③ ④ ⑤

①ブラス シャクル S ………… 7mm
②ブラス シャクル M ……… 14mm
③ブラス Sカン ……………… 5mm
④ブラス キーナスカン ……… 6mm
⑤ブラス ナスカン ………… 10mm
※数値は内径

■ ブラス ビーズ

① ② ③

①オールド ………………………… 5×6mm
②ラウンド ………………………… 5×5mm
③オーバル ………………………… 5×12mm
※数値は外径×高さ

■ ブラス 二重リング

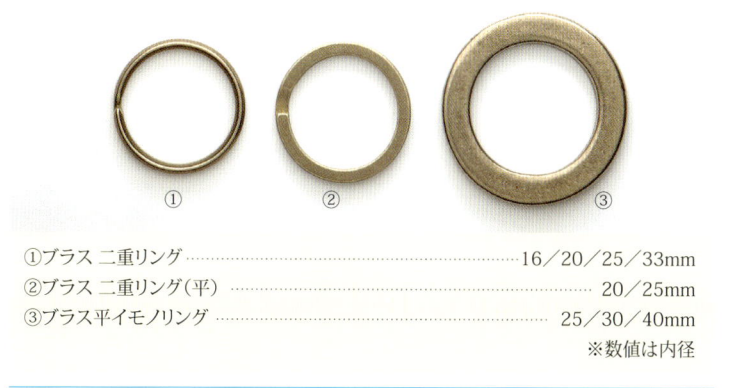

① ② ③

①ブラス 二重リング ………………………… 16／20／25／33mm
②ブラス 二重リング（平） ………………………… 20／25mm
③ブラス 平イモノリング ………………………… 25／30／40mm
※数値は内径

157

■ アミナスカン

①AN-1	……	8mm N／AT／G
AN-2	……	12mm N／AT／G
AN-3	……	15mm N／AT／G
②AN-4	……	18mm N／AT／G
AN-5	……	21mm N／AT／G
③AN-6	……	30mm N／AT／G
④AN-7	……	40mm N／AT／G

※数値は内径

■ テッポウナスカン

TN-1 内径 ……… 8mm N／G／AT

■ キーナスカン

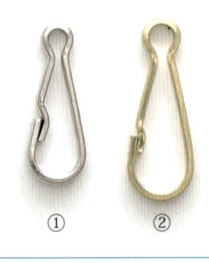

①小 ……… 20mm N／BZ
②大 ……… 23mm N／BZ

※数値は内径

■ レバーナスカン

9mm N／AT
15mm N／AT
17mm N／AT

※数値は内径

■ ナスカン

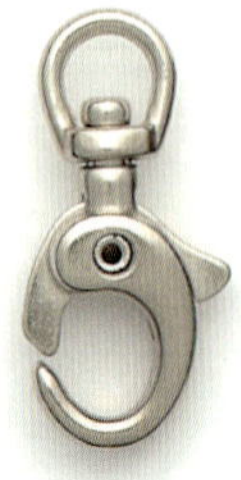

N-21 ……… 6mm N／AT
12mm N／AT

※数値は内径

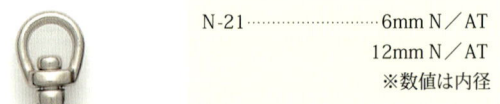

■ キーホルダー

三連キーホルダー	……	30×45mm N/Nカシメ
①四連キーホルダー	……	33×45mm N/Nカシメ
②四連親子キーホルダー	……	33×58mm N/Nカシメ
③上五連キーホルダー	……	33×58mm N/Nカシメ

※数値は横×縦

付　録

■ バックル

B-1(21mm) N

B-2(24mm) N

B-3(30mm) N

B-5(15mm) B／BN

B-5(20／25mm) B／BN

B-6(40mm) B／BN

B-7(40mm) B／BN

B-8(30／35mm) B／BN

B-12(20mm) B／BN

B-13(30／35／40mm) B／BN

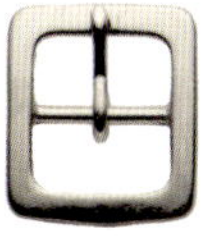

B-14(15／20mm) B／BN

B-15(40mm) B／BN

B-16(30／35／40mm) B／BN

B-17(25mm) B／BN

B-18(30／35mm) B／BN

B-19(8／10mm) N

B-20(25mm) B／BN

B-21(30mm) B／BN
B-22(35mm) B／BN

B-23(8mm) N／AT
B-24(10mm) N／AT
B-25(12mm) N／AT

159

■ クダ尾錠

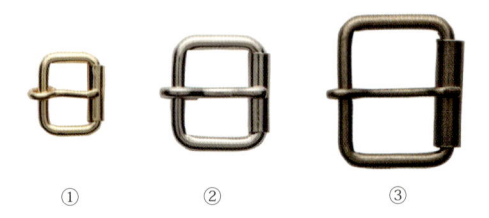

① ② ③

	KB-1	12mm	N／G／AT
①	KB-2	15mm	N／G／AT
	KB-3	18mm	N／G／AT
②	KB-4	21mm	N／G／AT
	KB-5	24mm	N／G／AT
③	KB-6	30mm	N／G／AT

※数値は内径

■ 線コキ

① ② ③

	SK-2	15mm	N／G／B／AT
①	SK-3	18mm	N／G／B／AT
	SK-4	21mm	N／G／B／AT
②	SK-5	24mm	N／G／B／AT
③	SK-6	30mm	N／G／B／AT
	SK-7	40mm	N／G／B／AT

※数値は内径

■ Dカン

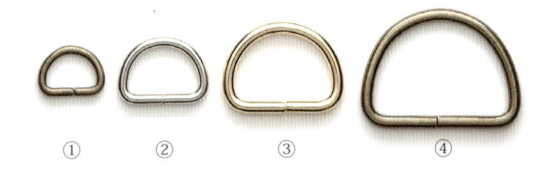

① ② ③ ④

①	DK-1	10mm	N／G／B／AT
	DK-2	12mm	N／G／B／AT
②	DK-3	15mm	N／G／AT
	DK-3	16mm	B
	DK-4	18mm	N／G／B／AT
③	DK-5	21mm	N／G／B／AT
	DK-6	24mm	N／G／B／AT
④	DK-7	30mm	N／G／B／AT
	DK-8	40mm	N／G／B／AT

※数値は内径

■ 小カン

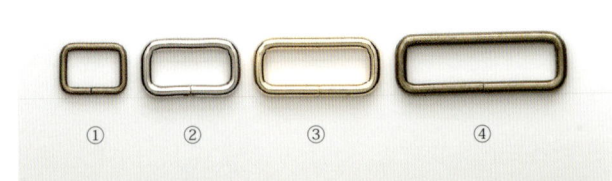

① ② ③ ④

①	K-1	12mm	N／G／B／AT
	K-2	15mm	N／G／B／AT
②	K-3	18mm	N／G／B／AT
	K-4	21mm	N／G／B／AT
③	K-5	24mm	N／G／B／AT
	K-6	30mm	N／B／AT
④	K-7	35mm	N／AT
	K-8	40mm	N／B／AT

※数値は内径

■ ファスナー

号数	長さ(金属部分)	金属色	テープ色
3号	10cm	N	黒／焦茶／ベージュ
		AT	黒／焦茶
	12cm	N	黒／焦茶／ベージュ
	15cm	N	黒／焦茶／ベージュ
		AT	黒／焦茶
	18cm	N	黒／焦茶／ベージュ
		AT	黒／焦茶
	20cm	N	黒／焦茶／ベージュ
		AT	黒／焦茶
4号	30cm	N	黒／焦茶／ベージュ

160

付 録

■ カシメ

① 極小カシメ両面足短 …………… 4.6×5mm
G／N／AT／B／ダール
② 小カシメ両面足短 ……………… 6×7.3mm
G／N／AT／B／ダール
③ 小カシメ両面足長 ……………… 6×8.3mm
G／N／AT／B／ダール
④ 大カシメ両面足短 ……………… 9×9mm
G／N／AT／B／ダール
⑤ 大カシメ両面足長 ……………… 9×10mm
G／N／AT／B／ダール
⑥ 特大カシメ両面足短 …………… 12.5×11mm
N／DG／AT／ダール
⑦ 特大カシメ両面足長 …………… 12.5×13mm
N／DG／AT／ダール
※数値は外径×高さ

■ バネホックボタン

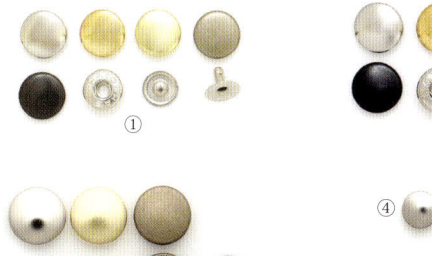

① No.2 小 ……………………… 11.5×4.5mm　B／AT／DG／N／ダール
② No.5 大 ……………………… 12.6×5.6mm　B／AT／DG／N／ダール
③ 8050 特大 …………………… 15×5.6mm　N／B／AT
④ プリムバネホックボタン ……… 8.8×4mm　N／B／AT
※数値は外径×高さ

■ ジャンパーボタン

① 7070 極小 …………………… 10×6×5mm　BN／B
② 7201 小々 …………………… 13×6×5mm　BN／B
③ 7060 小 ……………………… 12.6×7×6mm　B／AT／DG／N／ダール
④ 7050 大 ……………………… 15×8.3×7mm　B／AT／DG／N／ダール
　　大足長 ……………………… 15×11.5×11mm　N／AT

■ コーナー金具

C-1 …………… 17mm
N／G
C-4 …………… 30mm
N／G
※数値は高さ

■ マグネット

MS-1 …………… 14mm
N／G／AT
MS-2 …………… 18mm
N／G／AT
※数値は外径

161

道具図鑑 Tools

本書の作業で登場する道具やおすすめ道具を紹介します。持っていない道具や知らない道具がある場合は、この記事を参考に揃えてください。特徴や使い方についても軽く解説しますが、レザークラフトをはじめて経験する方は、本書p.172の「おすすめ書籍」で紹介する入門書を参照し、詳しい使い方を身につけることをおすすめします。

■ 菱目打ち

革に縫い穴をあけるための重要な道具。穴の間隔は3mm、4mm、5mm、6mmから選べます。本書では、手縫いの素朴な雰囲気と繊細さがバランスよく残る4mm巾を使います。同じ巾で2本刃、6本刃の2種類を用意すると便利です。

■ ヨーロッパ目打ち

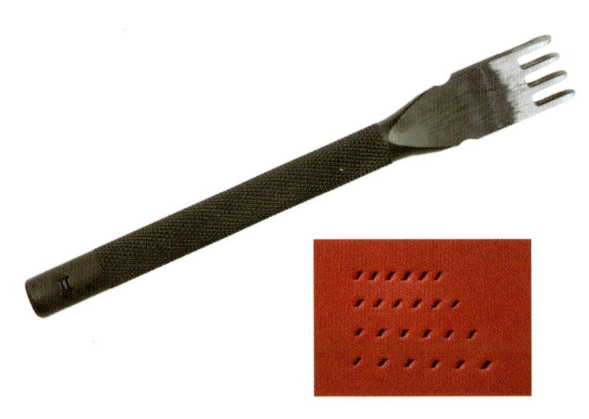

本書には登場しませんが、菱目打ちのバリエーションとしてヨーロッパ目打ちを紹介。先端がノミのように平らな刃になっていて、縫い穴の傾き角度がきつくなっているので、糸目の段々が際立ち、ステッチを印象的に見せることができます。使い方は菱目打ちと同じです。手作りと手縫いの雰囲気を出したい方はぜひお試しください。

■ 菱目パンチ

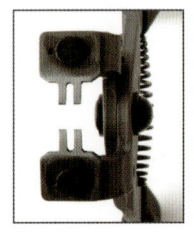

木づちなどで打ち込んで使う菱目打ちは、どうしてもカンカンと騒音が出てしまいます。また、下が平らな場所でしか穴をあけられません。それを解決するのが、握って穴をあけるタイプの菱目パンチです。

付 録

■ 仕立て用目打ち

手のひらサイズの使いやすい目打ち。革の表面をひっかいて線を引いたり、点の印をつけたり、小さめの丸穴をあけたりと様々な作業に使えるので、ひとつは持っておきましょう。

■ ひしきり

菱目打ちと同じ菱形の穴をあけることができるキリです。革が重なって厚手になった部分は、菱目打ちで貫通させると穴が大きくなりすぎるので、表面だけに打ち、あらためて「ひしきり」で貫通させます。

■ 仕立て用クジリ

目打ちと似ていますが、根本が太くなっているのが特徴なので、目打ちよりも広い穴をあけたり、コバを磨いたりする作業にも使えます。どちらでも問題ないので、単純に手に馴染む方を選んでも大丈夫です。

■ 銀ペン

革の表面に銀色の線を引く、皮革専用のペン。目打ちでひっかいた線が目立ちにくいときや、柔らかすぎて線が引けない場合などに活躍します。ひっかいた線よりも太くなるので、誤差に注意。

■ 皮革用ネジコンパス

サイドにあるネジを回すと、足の開き具合を微調整できます。足は固定されているので、任意の幅にセットしておけば、等間隔が簡単に何度でも取れます。大抵の場合は、革の縁から一定幅の縫い線を引く作業で活躍します。

■ ねじ捻ゴテ

ネジコンパスと同じ用途の和風な道具です。先端が尖っていないので、革には細い凹みのような目立ちにくい線がつきます。

■ ヤットコ

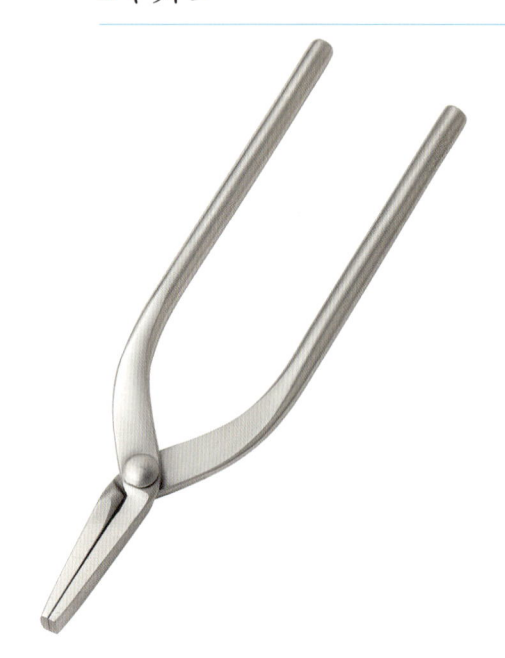

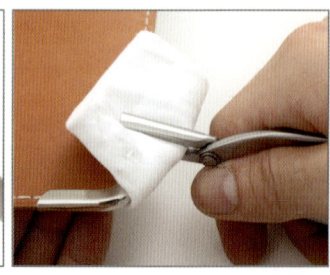

コンパクトで先端が細いプライヤーのような道具。針を縫い穴に通すのがきついときに引っ張ったり、革パーツの端を摘んだりする作業に便利。本書では、書類ケースにコーナー金具を取りつける際、端をカシメて固定する作業で使用しています。

付　録

■ 両面テープ

パーツの仮止めに使うテープ。粘着力が少し強めなので、数回なら貼り直しできます。ファスナーテープの端にゴムのりを塗るのは大変なので、そんなときは両面テープの出番です。

■ スーパーゴム糊

革同士を貼り合わせる、もっともスタンダードな接着剤。乾いた後は柔らかいゴムのようにしになって革の動きを邪魔しないのが特徴です。揮発性の溶剤を使っているので、換気などに注意。

■ 皮革用ボンドエース

木工用ボンドと同じような性質の接着剤。乾いた後はビニール樹脂のように少し固くなり、塗った革に張りが加わります。粘度が高く強力なタイプと、粘度が低く塗り伸ばしやすいタイプがあります。

■ ローラー

貼り合わせた革は、しっかりと圧力を加えて隙間を密着させておかないと、本来の接着力が発揮できません。革の表面を擦るとキズが残るので、ローラーを転がして圧着させるのがレザークラフトの常套手段。この他、革の折り目にクセをつける作業にも活用できます。

165

■ プレススリッカー

側面の溝でコバを磨いて使います。キレイなドーム型に整えるのが簡単になります。革の表面を擦ったり、折りクセをつける作業にも使えるので、意外とオールマイティな道具と言えます。

■ ガラス板

こちらは、革を斜めに漉く作業などで、刃が作業台にひっかからないように敷いておくガラスの板。縁の角は面取られ滑らかに研磨してあるので、革の床面を平らに磨く作業などにも使います。

■ トコノール

コバや床面を磨く際に塗る、専用の目止め剤。毛羽立った革の繊維を適度に寝かしつけ、同時にツヤも与えることができます。スリッカーや布で擦るのが効果的。

■ ワックスコート

コバ磨きの仕上げとして最後に塗るとツヤを出すことができる、皮革専用の天然ワックス。塗って乾いたら布で擦るという作業を何度か繰り返すと効果的。

付　録

■ 木づち／クラフトマレット

2つとも、菱目打ちやホック打ち、ハトメ抜きなどを打ち込むためのハンマーです。木づちの方が長く、グリップの後端を持つと打ち込む力が強くなります。クラフトマレットはコンパクトなので女性の手にも扱いやすく、バランスの良い重心と適度な重量感のお陰で、繊細に力をコントロールできます。

■ 手縫い針／ステッチングポニー

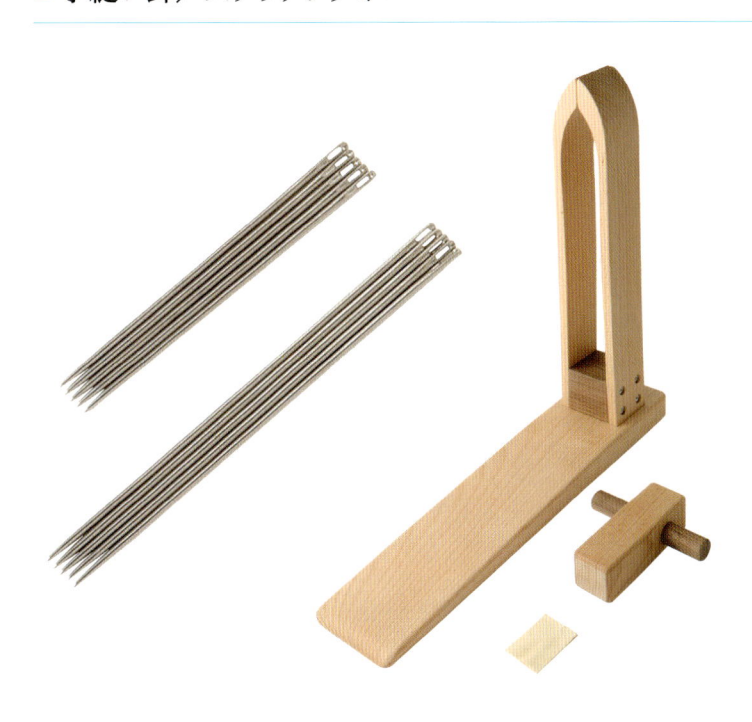

手縫いをするために必須となる皮革用針と、縫っている最中に作品を固定しておくステッチングポニーです。針は、あらかじめあけた縫い穴以外の穴をあけてしまわないよう、先端があまり鋭くなっていません。感触で穴の位置を探りながら通していきます。

167

■ ハトメ抜き

号数	サイズ
3号	0.9mm
4号	1.2mm
5号	1.5mm
6号	1.8mm
7号	2.1mm
8号	2.4mm
10号	3.0mm
12号	3.6mm
15号	4.5mm
18号	5.4mm
20号	6.0mm
25号	7.5mm
30号	9.0mm
35号	10.5mm
40号	12mm
50号	15mm
60号	18mm
70号	21mm
80号	24mm
90号	27mm
100号	30mm

ハトメ抜きは、革に丸穴をあける道具。金具の取りつけにも丸穴が必要なので、使用頻度は高いです。先端の刃を革に当て、本体を保持しながら木づちなどで打ち込んで使います。大きなサイズほど打ち抜くのに力が必要ですが、無理をせず何回かに分けて打ってください。また、小さいサイズは尖っているので、逆に軽く打たないと深く刺さりすぎ、穴が大きくなってしまうことがあります。

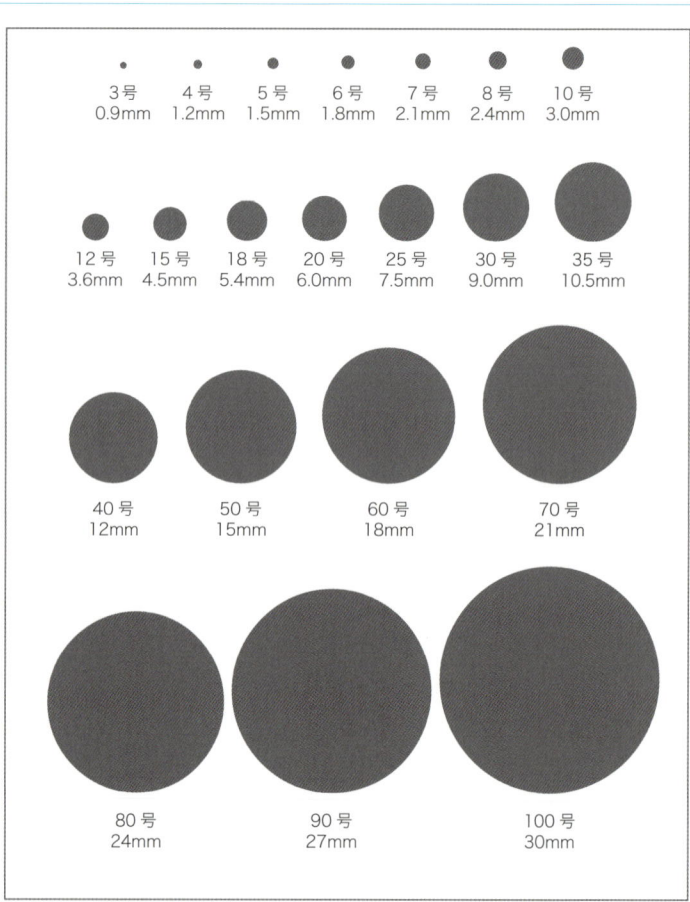

取り付ける金具	ハトメ抜きのサイズ
極小カシメ	6号(1.8mm)
小カシメ	7号(2.1mm)
大カシメ	8号(2.4mm)
特大カシメ	10号(3.0mm)
バネホックボタン No.2 小	凸8号(2.4mm)／凹15号(4.5mm)
バネホックボタン No.5 大	凸10号(3.0mm)／凹18号(5.4mm)
バネホックボタン 8050 特大	凸15号(4.5mm)／凹25号(7.5mm)
プリムバネホックボタン	凸8号(2.4mm)／凹12号(3.6mm)
ジャンパーボタン 7060 小	凹凸10号(3.0mm)
ジャンパーボタン 7050 大	凹凸12号(3.6mm)
ジャンパーボタン 7201 小々	凹凸8号(2.4mm)
ジャンパーボタン 7070 極小	凹凸8号(2.4mm)

付　録

■ バネホックボタン打棒／ジャンパーボタン打棒／カシメ打棒／メタルプレート

バネホックボタン、ジャンパーボタン、カシメなどの金具を取りつけるには、専用の「打ち具」で打って留める必要があります。金具の種類、サイズごとに先端の形状が異なるので、注意して選んでください。メタルプレートは、打つ際の台として使うもので、金具の丸みが潰れないようにするための窪みがついています。

■ カッター／革たち／革包丁

主な革の裁断道具3種類。初心者には、カッター（写真左）をおすすめします。直線は定規を添えれば簡単に切れ、カーブの小回りが効き、何より刃を取り替えれば切れ味が簡単に維持できます。革包丁（写真右）は革専用のナイフで、自分で研いで切れ味を維持する必要があります。革たち（写真中）は、以上2つの道具の特徴を合わせた感じです。

169

■ 手縫い糸

手縫いのレザークラフトに使う糸には麻糸と化繊があります。それぞれ商品によって質感やカラーバリエーションが異なるので、自分のイメージに近いものを探してみてください。本書では、5番程度の糸をメインで使っています。4mm巾の菱目打ちと相性が良く、手縫いの素朴さを残しつつも荒々しくなり過ぎないのでおすすめです。

エスコード 細／中細／太

スムース糸 細／太
スーパースムース糸

Wロー引き糸 0番手

アンティークシニュー

Wロー引き糸 5番

プロワックス（手縫い用ワックス）

ビニモ

付 録

糸の種類	長さ	太さ	カラー
エスコード（細）	30m	約0.6mm	生成／ベージュ／黒／焦茶／茶／紺／エンジ
エスコード（中細）	30m	約0.8mm	
エスコード（太）	25m	約1.0mm	
スムース糸（細）	10m／100m	約0.8mm	白／黒／焦茶／茶／ベージュ
スムース糸（太）	10m	約1.0mm	黒／焦茶／茶／ベージュ
スーパースムース糸	10m	約0.6mm	白／黒／茶
ダブルロー引き糸 5番手	25m	約0.5mm	黒／焦茶／グレー／ベージュ／白／紫／青／緑／ターコイズ／スカイブルー／茶／黄／オレンジ／ピンク／赤
ダブルロー引き糸 0番手	50m	約0.8mm	黒／焦茶／グレー／ベージュ／白／紫／青／緑／ターコイズ／スカイブルー／茶／黄／オレンジ／ピンク／赤
アンティークシニュー（細）	約270m		生成
アンティークシニュー（太）	約270m		生成
ビニモ #30 ロー引きなし	200m		白／ベージュ／橙／山吹／黄／黄茶／ピンク／赤／エンジ／茶／焦茶／水色／青／緑／紫／薄グレー／濃グレー／黒

糸の長さの決め方

縫う長さの4倍が目安です。実際は革の厚みによって前後するので、余ることはありますが、足りなくなることはないでしょう。慣れたら、感覚で微調整してください。

糸に針をつける

❶ 針穴に糸を通します。サイズが合っていないと糸が太くて通りません。 ❷ 糸の先端側を、その針で2回ほど刺します。 ❸ 刺した部分を針の後端の方へずらしながら、糸の輪を縮めて整えます。 ❹ 刺した部分を完全に針から外し、糸が絡んだ状態にします。これを糸の両側で行なえば完了です。

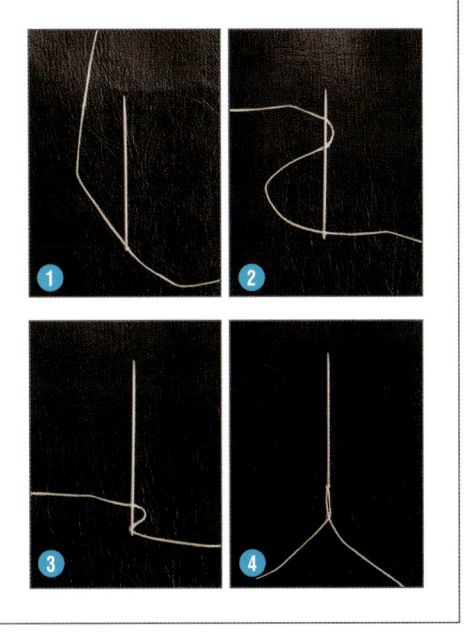

監修企業紹介 SEIWA

　レザークラフト関連用品の総合メーカーである"SEIWA"は、豊富な品揃えを誇る直販店を軸に、常に時代の風を感じながら新しい提案を続ける企業です。レザークラフターの「あったら良いな」を実現し、次のステップを用意してくれます。今後の活動やイベント、新商品も目が離せません。

■ 収録アイテムのデザインと製作

Kazuya Okada
岡田　和也

Masato Mori
森　昌人

本書収録アイテムのデザイン、設計、製作をしたのは、SEIWAでプロダクトプランナーやPRを担当するお二人。シンプルでありながら、手作りと革の風合いが活きた作品は、どれも老若男女を問わず使える素敵な革小物です。

高田馬場店

SEIWA 高田馬場店
東京都新宿区下落合1丁目1番1号
Tel 03-3364-2111
営業時間 10:00-18:00　定休日 日曜・祝日・夏期・年末年始
URL http://seiwa-net.jp/

付　録

渋谷店

SEIWA 渋谷店

東京都渋谷区宇田川町12番18号 東急ハンズ内

Tel 03-3464-5668

営業時間 10:00-20:30

定休日 年中無休

博多店

SEIWA 博多店

福岡県福岡市博多区博多駅中央街1-1 博多シティ 東急ハンズ内

Tel 092-413-5068

営業時間 10:00-21:00

定休日 年中無休

SEIWAレザークラフトスクール

高田馬場店と同じ建物では、一般向けのレザークラフト教室を開催。初心者の入門からベテランのステップアップに至るまで、実に幅広いテクニックや知識を網羅しています。中には、ミシン、革漉きなど、プロ志向の方でも満足できる本格的な講義もあります。定期的に開催されているので、気になる方はウェブサイトでチェックすると良いでしょう。

● レザークラフトスクール URL http://www.seiwa-net.jp/

おすすめ書籍 Books

　この本と同じく、レザークラフトのSEIWAが監修した書籍をご紹介します。どれも初心者からチャレンジできる内容で、レザークラフトや革のアイテムのことをしっかりと理解できます。これらの本で基礎テクニックを身につけ、本書で様々なパターンの作品を経験すれば、非常にバリエーション豊かなアイテムを製作できるでしょう。

■ 初心者でもカンタン！ はじめての革小物

2014年9月25日発行
182×210mm　176ページ
ISBN 978-4-88393-680-9
価格 ¥2,500+税

はじめてでも作れるようシンプルに設計された革小物の作り方を、豊富な写真を使って丁寧に解説します。道具類もSEIWA製の「Leather Handsewing 12 Tools Set〈Standard〉」を基本に、手に入れやすい物を使用しています。収録している作品は、縫わずに作れる簡単なものから、少し部品点数の多いものまで幅広く、それぞれの作品ごとにベーシックなテクニックを少しずつ身につけられるようになっています。作ることを楽しみながら、革小物名人を目指しましょう！

ITEM LIST

- ベルトストラップ
- 4種のブレスレット
- スマートフォンカバー
- 三つ折りカードケース
- メガネケース
- ファスナーポーチ
- カードポケット付きコインケース
- シンプルウォレット
- トートバッグ
- ミニチュア

付録

■ はじめての革カバン

内縫いのスマートフォンポーチ、シンプルなA4サイズのトートバッグ、カシメだけで作るアコーディオンクラッチバッグ、ファスナーを使ったトラベルポーチ、2ウェイタイプのクラッチバッグ、そして工具がきっちり収まるツールバッグと、様々なタイプのカバンの作り方を紹介しています。どれも革カバン作りの基本的な技術を使っているので、応用して自分だけのバッグを作る基礎にもなります。

2015年1月10日発行
182×210mm　184ページ　ISBN 978-4-88393-693-9
価格 ￥2,600+税

ITEM LIST

- スマートフォンポーチ
- A4トートバッグ
- アコーディオンバッグ
- トラベルポーチ
- クラッチバッグ
- ツールバッグ

■ はじめてのレザークラフト

レザークラフトをスタートするには、道具は基本の16点だけあれば大丈夫。詳細な解説で基本のテクニックを身につけつつ、役に立つアイテムを作ることができます。後半では新しい道具を増やしていきながら、レザークラフトの幅を広げるテクニックも合わせて学びましょう。わかりやすい内容とシンプルで魅力的なアイテムが人気を博し、弊社が発行するレザークラフト書籍の中でもトップの売り上げを誇る、超ロングセラー書籍です。

2009年9月21日発行
182×210mm　176ページ　ISBN 978-4-88393-353-2
価格 ￥2,500+税

ITEM LIST

- キーホルダー
- ブックカバー
- コインケース
- カードケース
- ロングウォレット
- トートバッグ
- ベルト
- 革のトレイ
- ウォレットチェーン
- キーケース
- 紅白ポーチ

175

STAFF

PUBLISHER
高橋矩彦　Norihiko Takahashi

EDITOR
富田慎治　Shinji Tomita
行木　誠　Makoto Nameki

DESIGNER
小島進也　Shinya Kojima

ADVERTISING STAFF
大島　晃　Akira Ohshima

PHOTOGRAPHER
関根　統　Osamu Sekine

MODEL
松枝恭子　Kyoko Matsueda
さやこ
Daikon

SPECIAL THANKS
撮影用小道具のリース AWABEES

PRINTING
シナノ書籍印刷株式会社

PLANNING,EDITORIAL&PUBLISHING
(株)スタジオ タック クリエイティブ
〒151-0051　東京都渋谷区千駄ヶ谷 3-23-10 若松ビル2階
STUDIO TAC CREATIVE CO.,LTD.
2F,3-23-10, SENDAGAYA SHIBUYA-KU,TOKYO
151-0051　JAPAN

〔企画・編集・広告進行〕
　Telephone 03-5474-6200　Facsimile 03-5474-6202

〔販売・営業〕
　Telephone & Facsimile 03-5474-6213

URL http://www.studio-tac.jp
E-mail stc@fd5.so-net.ne.jp

アレンジもできる レザークラフト
24 SIMPLE PATTERNS FOR LEATHERCRAFT
型紙集 24

2015年 7月5日 発行

警告　CAUTION

■ この本は、習熟者の知識や作業、技術をもとに、編集時に読者に役立つと判断した内容を記事として再構成し掲載しています。そのため、あらゆる人が作業を成功させることを保証するものではありません。よって、出版する当社、株式会社スタジオ タック クリエイティブ、および取材先各社では作業の結果や安全性を一切保証できません。また、作業により、物的損害や傷害の可能性があります。その作業上において発生した物的損害や傷害について、当社では一切の責任を負いかねます。すべての作業におけるリスクは、作業を行なうご本人に負っていただくことになりますので、充分にご注意ください。

■ 使用する物に改変を加えたり、使用説明書等と異なる使い方をした場合には不具合が生じ、事故等の原因になることも考えられます。メーカーが推奨していない使用方法を行なった場合、保証やPL法の対象外になります。

■ 本書は、2015年4月28日までの情報で編集されています。そのため、本書で掲載している商品やサービスの名称、仕様、価格などは、製造メーカーや小売店などにより、予告無く変更される可能性がありますので、充分にご注意ください。

■ 写真や内容が一部実物と異なる場合があります。

STUDIO TAC CREATIVE
(株)スタジオ タック クリエイティブ
©STUDIO TAC CREATIVE 2015 Printed in JAPAN

● 本書の無断転載を禁じます。
● 乱丁、落丁はお取り替えいたします。
● 定価は表紙に表示してあります。

ISBN978-4-88393-715-8